LE MANUSCRIT RETROUVÉ

L'Alchimiste, Éditions Anne Carrière, 1994
Sur le bord de la rivière Piedra je me suis assise et j'ai pleuré, Éditions Anne Carrière, 1995
Le Pèlerin de Compostelle, Éditions Anne Carrière, 1996
La Cinquième Montagne, Éditions Anne Carrière, 1998
Manuel du guerrier de la lumière, Éditions Anne Carrière, 1998
Conversations avec Paolo Coelho, Éditions Anne Carrière, 1999
Le Démon et Mademoiselle Prym, Éditions Anne Carrière, 2001
Onze Minutes, Éditions Anne Carrière, 2003
Maktub, Éditions Anne Carrière, 2004
Le Zahir, Flammarion, 2005
Comme le fleuve qui coule, Flammarion, 2006
La Sorcière de Portobello, Flammarion, 2007
La Solitude du vainqueur, Flammarion, 2009
Brida, Flammarion, 2010
Aleph, Flammarion, 2011

Paulo Coelho

LE MANUSCRIT RETROUVÉ

Traduit du portugais (Brésil)
par Françoise Marchand Sauvagnargues

Flammarion

www.paulocoelho.com

Titre original : *Manuscrito encontrado em Accra*
Édition publiée en accord avec Sant Jordi Asociados,
Barcelone, Espagne.
© Paulo Coelho, 2012. Tous droits réservés.
Pour la traduction française :
© Flammarion, 2013
ISBN : 978-2-0812-9022-8

Ô Marie conçue sans péché, priez pour nous qui avons recours à Vous. Amen.

Pour N.S.R.M., en remerciement du miracle.

Filles de Jérusalem, ne pleurez pas sur moi, mais pleurez sur vous-mêmes et sur vos enfants.

Luc, 23, 28

Préface et hommage

En décembre 1945, deux frères qui cherchaient un endroit où se reposer dans la région de Hamra Dom, en Haute-Égypte, trouvèrent dans une caverne une urne remplie de papyrus. Au lieu de prévenir les autorités locales ainsi que la loi l'exigeait, ils décidèrent de les vendre petit à petit sur le marché des antiquités pour éviter d'attirer l'attention du gouvernement. La mère des jeunes gens, redoutant l'influence d'« énergies négatives », brûla plusieurs des papyrus qu'ils venaient de découvrir.

L'année suivante, pour des raisons que l'histoire ne mentionne pas, les frères se disputèrent. Attribuant l'incident à ces « énergies négatives », la mère remit les manuscrits à un prêtre, qui en vendit un au musée d'Art copte du Caire. Les manuscrits y prirent le nom, qu'ils portent encore de nos jours, de Manuscrits de Nag Hamadi (en référence à la ville la plus proche des cavernes où la trouvaille avait eu lieu). Un expert du musée, l'historien des religions Jean Doresse, comprit l'importance de la découverte et la rapporta pour la première fois dans une publication en 1948.

Les autres parchemins commencèrent à apparaître sur le marché noir. Le gouvernement égyptien se rendit compte très vite de l'importance de la découverte et tenta d'empêcher que les manuscrits ne quittent le pays. Peu après la révolution de 1952, la plus grande partie du matériel fut remise au musée d'Art copte du Caire et déclarée patrimoine national. Un seul texte échappa à la prise et se retrouva chez un antiquaire belge. Après de vaines tentatives pour le vendre à New York et à Paris, il fut finalement acquis par l'Institut Carl Jung, en 1951. À la mort du célèbre psychanalyste, le parchemin, désormais connu sous le nom de Codex Jung, retourna au Caire, où sont aujourd'hui réunis près de mille pages et fragments des Manuscrits de Nag Hamadi.

*

Les papyrus trouvés sont des traductions grecques de textes écrits entre la fin du premier siècle de l'ère chrétienne et l'année 180 après J.-C., et ils constituent un corpus de textes connu également sous le nom d'Évangiles apocryphes, puisqu'on ne les trouve pas dans la Bible telle qu'elle existe aujourd'hui.

Pour quelle raison ?

En 170 après J.-C., un groupe d'évêques se réunit afin de définir les textes qui allaient faire partie du Nouveau Testament. Ils adoptèrent un critère simple : ils devaient inclure tout ce qui permettait de combattre les hérésies et les divisions doctrinales de l'époque. Furent sélectionnés les Évangiles actuels, les lettres et tout ce qui avait, disons-le ainsi, une certaine « cohérence » avec l'idée centrale de ce qu'était à leurs yeux le christianisme. La référence à cette rencontre d'évêques et la liste de livres admis se trouvent dans le Canon Muratori, qui n'est pas connu. Les autres livres, comme ceux trouvés à Nag Hamadi, furent écartés parce qu'il s'agissait de textes de femmes (comme l'Évangile de Marie-Madeleine) ou parce qu'ils révélaient un Jésus conscient de sa mission divine, ce qui aurait rendu son passage de la vie à la mort moins pénible et douloureux.

*

En 1974, un archéologue anglais, sir Walter Wilkinson, découvrit près de Nag Hamadi un autre manuscrit, cette fois en trois langues : arabe, hébreu et latin. Connaissant les règles qui protégeaient les trouvailles dans la région, il adressa le texte au département des Antiquités du musée du Caire. La réponse vint sans tarder : il y avait au moins cent cinquante-cinq copies de ce document en circulation dans le monde (trois appartenaient au musée), et elles étaient toutes pratiquement semblables. Les analyses au carbone 14 (utilisées pour procéder à la datation de matières organiques) révélèrent que le parchemin était relativement récent – écrit probablement en l'an 1307 de l'ère chrétienne. Sans difficulté, on fit remonter son origine jusqu'à la ville d'Acre, hors du territoire égyptien. Par conséquent, il n'y avait aucune restriction à sa sortie du pays, et sir Wilkinson reçut par écrit la permission du gouvernement égyptien (Réf. 1901/317/IFP-75, datée du 23 novembre 1974) de l'emporter en Angleterre.

*

J'ai rencontré le fils de sir Walter Wilkinson en 1982 à Noël, à Porthmadog, au Pays de Galles, dans le Royaume-Uni. Je me souviens qu'il mentionna, à l'époque, le manuscrit trouvé par son père, mais aucun de nous n'accorda grande importance au sujet. Nous avons entretenu une relation cordiale au long de toutes ces années, et j'ai eu l'occasion de le voir au moins deux autres fois quand je me suis rendu dans son pays pour la promotion de mes livres.

Le 30 novembre 2011, j'ai reçu une copie du texte auquel il avait fait allusion lors de notre première rencontre. En voici la transcription.

J'aimerais tellement commencer ces lignes en écrivant :

« Maintenant que je suis à la fin de ma vie, je laisse à ceux qui viendront après tout ce que j'ai appris pendant que je cheminais sur la Terre. Qu'ils en fassent bon usage. »

Mais malheureusement il n'en est rien. Je n'ai que vingt et un ans, des parents qui m'ont donné amour et éducation, et une femme que j'aime et qui m'aime en retour – mais la vie se chargera de nous séparer demain, quand chacun devra partir en quête de son chemin, de son destin ou de sa manière d'affronter la mort.

Pour notre famille, c'est aujourd'hui le 14 juillet 1099. Pour la famille de Jakob, mon ami d'enfance, avec qui je jouais dans les rues de cette ville de Jérusalem, nous sommes en 4859 – il adore dire que la religion juive est plus ancienne que la mienne. Pour le respectable Ibn al-Athir, qui a passé sa vie à essayer d'enregistrer une histoire qui va maintenant prendre fin, l'année 492 est sur le point de se terminer. Nous ne sommes d'accord ni sur les dates ni sur la façon d'adorer Dieu, mais pour tout le reste nous nous sommes toujours très bien entendus.

Il y a une semaine nos commandants se sont réunis ; les troupes des Francs sont infiniment supérieures en nombre et bien mieux équipées que les nôtres. À tous, un choix a été offert : abandonner la ville ou lutter jusqu'à la mort, parce qu'il est tout à fait certain que nous serons écrasés. La plupart ont décidé de rester.

Les musulmans sont en ce moment rassemblés dans la mosquée al-Aqsa, les juifs ont choisi le Mihrab de Dawud pour concentrer leurs soldats, et les chrétiens, dispersés dans plusieurs quartiers, ont été chargés de la défense du secteur sud de la ville.

À l'extérieur, nous voyons déjà les tours d'assaut, construites avec le bois de navires qui ont été démontés spécialement à cet effet. D'après le mouvement des troupes ennemies, nous supposons qu'elles attaqueront demain matin — versant le sang au nom du pape, de la « libération » de la ville, des « désirs divins ».

Cet après-midi, sur le parvis où il y a mille ans le gouverneur romain Ponce Pilate livra Jésus à la foule pour qu'il soit crucifié, un groupe d'hommes et de femmes de tous âges sont allés à la rencontre du Grec que nous tous ici appelons le Copte.

Le Copte est un type étrange. Encore adolescent, il décida de quitter sa ville natale d'Athènes en quête d'argent et d'aventure. Finalement, il frappa aux portes de notre ville quasi mort de faim, fut bien accueilli, abandonna peu à peu l'idée de poursuivre son voyage et décida de s'installer ici.

Il trouva un emploi dans une cordonnerie et — comme Ibn al-Athir — commença à enregistrer tout ce qu'il voyait et entendait. Il ne chercha à s'adonner à aucune pratique religieuse, et personne ne tenta de le convaincre de le faire. Pour lui, nous ne sommes ni en 1099, ni en 4859, et encore moins à la fin de l'année 492. Le Copte ne croit qu'au moment présent et en ce qu'il appelle *moira* – le dieu inconnu, l'Énergie Divine, responsable d'une loi unique que l'on ne doit jamais transgresser, sous peine de voir le monde disparaître.

À côté du Copte se trouvaient les patriarches des trois religions qui se sont établies à Jérusalem. Aucun gouvernant n'apparut tant que dura la conversation. Ils étaient préoccupés par les derniers préparatifs pour la résistance que nous croyions totalement inutile.

« Voilà des siècles, un homme a été jugé et condamné sur cette place, commença le Grec. Dans la rue qui monte vers la droite, tandis qu'il marchait vers la mort, il est passé près d'un groupe de femmes. Les voyant en pleurs, il a dit : *"Ne pleurez pas sur moi, pleurez sur Jérusalem."* Il prophétisait ce qui se passe maintenant. À partir de demain, ce qui était harmonie deviendra discorde. Ce qui était joie sera remplacé par le deuil. Ce qui était paix fera place à une guerre qui se prolongera dans un futur lointain dont on ne peut même pas rêver la fin. »

Personne ne dit mot, car aucun de nous ne savait vraiment ce qu'il faisait là. Nous fallait-il entendre encore un sermon sur les envahisseurs qui se nommaient eux-mêmes « croisés » ?

Le Copte savoura un peu la confusion qui s'installait parmi nous. Et, après un long silence, il expliqua la chose suivante :

« Ils peuvent détruire la ville, mais ils ne peuvent pas mettre fin à tout ce qu'elle nous a appris. C'est pourquoi cette connaissance ne doit pas avoir la même destinée que nos murailles, nos maisons et nos rues.

« Mais qu'est-ce que la connaissance ? »

Comme personne ne répondait, il poursuivit :

« Ce n'est pas la vérité absolue sur la vie et la mort, mais ce qui nous aide à vivre et à affronter les défis de la vie quotidienne. Ce n'est pas l'érudition présente dans les livres, qui ne sert qu'à alimenter des discussions inutiles sur ce qui s'est passé ou ce qui se passera, mais la sagesse qui réside dans le cœur des hommes et des femmes de bonne volonté. »

Le Copte ajouta :

« Je suis un érudit et j'ai eu beau passer toutes ces années à récupérer des antiquités, classifier des objets, annoter des dates et discuter politique, je ne sais pas très bien quoi dire. Mais en ce moment je demande à l'Énergie Divine de purifier mon cœur. Vous me poserez les questions et j'y répondrai. Dans la Grèce ancienne, c'est ainsi que les maîtres apprenaient : leurs élèves les interrogeaient sur un sujet auquel ils n'avaient jamais pensé, mais ils étaient obligés de donner une réponse.

— Et que ferons-nous des réponses ? demanda quelqu'un.

— Certains écriront ce que je dirai. D'autres se souviendront des mots. Mais l'important, c'est que ce soir vous partiez aux quatre coins du monde faire circuler ce que vous aurez entendu. Ainsi, l'âme de Jérusalem sera préservée. Et un jour nous pourrons la reconstruire non seulement comme une ville, mais comme le lieu vers où la sagesse reviendra converger et où la paix régnera de nouveau.

— Nous savons tous ce qui nous attend demain, dit un autre homme. Ne vaudrait-il pas mieux que nous discutions de la façon de négocier la paix ou de nous préparer au combat ? »

Le Copte regarda les religieux qui se trouvaient près de lui, puis il se tourna vers la foule.

« Personne ne sait ce que demain nous réserve, parce qu'à chaque jour suffit sa peine ou son bonheur. Aussi, quand vous demanderez ce que vous désirez savoir, oubliez les troupes à l'extérieur et la peur à l'intérieur. Nous ne transmettrons pas à ceux qui recevront la Terre en héritage le récit de ce qui s'est passé à la date d'aujourd'hui ; ça, l'Histoire s'en chargera. Nous parlerons donc de notre vie quotidienne, des difficultés qu'il nous a fallu affronter. Cela seul intéresse le futur, parce que je ne crois pas que grand-chose changera dans les mille prochaines années. »

Alors mon voisin Jakob demanda :

« Parle-nous de la défaite. »

Une feuille peut-elle, quand elle tombe de l'arbre en hiver, se sentir défaite par le froid ?

L'arbre dit à la feuille : « Cela est le cycle de la vie. Tu as beau penser que tu vas mourir, en réalité tu es toujours sur moi. Grâce à toi, je suis vivant, parce que j'ai pu respirer. C'est aussi grâce à toi que je me suis senti aimé, car j'ai pu offrir de l'ombre au voyageur fatigué. Ta sève est ma sève, nous ne faisons qu'un. »

Un homme qui s'est préparé pendant des années pour gravir la montagne la plus haute du monde peut-il se sentir vaincu quand il arrive en face et découvre que l'orage gronde au-dessus ? L'homme dit à la montagne : « Tu ne veux pas de moi maintenant, mais le temps va changer et un jour je pourrai grimper jusqu'à ton sommet. En attendant, tu restes là. »

Un jeune homme peut-il affirmer, quand il est rejeté par son premier amour, que l'amour n'existe pas ? Le jeune se dit : « Je rencontrerai quelqu'un qui saura comprendre ce que je ressens. Et je serai heureux pour le restant de mes jours. »

Il n'y a ni victoire ni défaite dans le cycle de la nature : il y a du mouvement.

L'hiver lutte pour continuer à régner en maître, mais il doit reconnaître à la fin la victoire du printemps, qui apporte avec lui les fleurs et la joie.

L'été veut prolonger indéfiniment ses chaudes journées, car il est convaincu que la chaleur est profitable à la terre. Mais il finit par accepter l'arrivée de l'automne, qui permettra à la terre de se reposer.

La gazelle mange les herbes, et elle est dévorée par le lion. Il ne s'agit pas de la loi du plus fort, mais de la façon dont Dieu nous montre le cycle de la mort et de la résurrection.

Et il n'y a dans ce cycle ni vainqueurs ni perdants, seulement des étapes qui doivent être respectées. Quand le cœur de l'être humain comprend cela, il est libre. Il accepte sans peine les moments difficiles et ne se laisse pas abuser par les moments de gloire.

Les uns et les autres passeront. Ils se succéderont. Et le cycle continuera jusqu'à ce que nous nous libérions de la chair et que nous rencontrions l'Énergie Divine.

Ainsi, quand le lutteur sera dans l'arène – soit par choix, soit parce que l'insondable destin l'a mis là –, qu'il garde l'esprit joyeux dans le combat qu'il est sur le point de mener. S'il garde sa dignité et son honneur, il peut perdre la bataille, mais il ne sera jamais vaincu parce que son âme restera intacte.

Et il n'accusera personne de ce qui lui arrive. Depuis qu'il a aimé pour la première fois et a été rejeté, il a compris que cela n'avait pas tué sa faculté d'aimer. Ce qui vaut pour l'amour vaut aussi pour la guerre.

La défaite lors d'une bataille ou la perte de tout ce que nous pensons posséder nous causent des moments de tristesse. Mais, une fois ceux-ci passés, nous découvrons la force inconnue qui existe en chacun de nous, la force qui nous surprend et accroît notre respect de nous-mêmes.

Nous regardons autour de nous et nous nous disons : « J'ai survécu. » Et nous nous réjouissons des mots prononcés.

Seuls ceux qui ne reconnaissent pas cette force disent : « J'ai perdu. » Et ils en sont attristés.

D'autres, même souffrant de la défaite et humiliés par les histoires que les vainqueurs répandent à leur sujet, se permettent de verser quelques larmes mais ne se plaignent jamais. Ils savent seulement que le combat a été interrompu et que pour le moment ils sont en situation d'infériorité.

Ils écoutent les battements de leur cœur. Ils constatent qu'ils sont tendus. Qu'ils ont peur. Ils font un bilan de leur vie et découvrent que, malgré la terreur qu'ils ressentent, la foi continue de brûler dans leur âme et de les pousser en avant.

Ils cherchent à savoir où ils se sont trompés et où ils ont visé juste.

Ils profitent du moment où ils sont à terre pour se reposer, soigner leurs blessures, découvrir de nouvelles stratégies et mieux s'équiper.

Et puis arrive un jour où un nouveau combat se présente. La peur est toujours là, mais ils doivent agir – sinon ils resteront à tout jamais couchés sur le sol. Ils se lèvent et regardent l'adversaire en face, se rappelant la souffrance qu'ils ont connue et ne veulent pas revivre.

La défaite précédente les oblige à vaincre cette fois, car ils ne veulent pas vivre encore les mêmes douleurs.

Et, si la victoire n'est pas pour cette fois, ce sera pour la prochaine. Et si ce n'est pas pour la prochaine, ce sera pour plus tard. Le pire n'est pas de chuter, c'est de rester accroché au sol.

Seul est vaincu celui qui renonce. Tous les autres sont victorieux.

Et le jour viendra où les moments difficiles ne seront plus que des histoires qu'ils seront fiers de raconter à ceux qui voudront les entendre. Et tous les écouteront avec respect et apprendront trois choses importantes :

La patience d'attendre le bon moment pour agir.

La sagesse de ne pas laisser échapper l'occasion suivante.

Et la fierté de leurs cicatrices.

Les cicatrices sont des médailles gravées au fer et au feu dans la chair, et elles effraieront leurs ennemis, leur montrant que la personne qui est devant eux a une grande expérience du combat. Cela les conduira très souvent à rechercher le dialogue et évitera le conflit.

Les cicatrices parlent plus fort que la lame du couteau qui les a causées.

« Décris les défaites », demanda un marchand, quand il constata que le Copte s'était tu.

Et il répondit :

Les vaincus sont ceux qui n'échouent pas.

La défaite nous fait perdre une bataille ou une guerre. L'échec ne nous laisse pas lutter.

La défaite vient quand nous n'obtenons pas quelque chose que nous aimons beaucoup. L'échec ne nous permet pas de rêver. Sa devise, c'est : « Ne désire rien et tu ne souffriras jamais. »

La défaite prend fin quand nous nous engageons dans un nouveau combat. L'échec n'a pas de fin : c'est un choix de vie.

La défaite est pour ceux qui, malgré la peur, vivent avec l'enthousiasme et la foi.

La défaite est pour les gens courageux. Eux seuls peuvent avoir l'honneur de perdre et la joie de gagner.

Je ne suis pas ici pour dire que la défaite fait partie de la vie ; ça, nous le savons tous. Seuls les vaincus connaissent l'Amour. Parce que c'est sous le règne de l'Amour que nous menons nos premiers combats – qu'en général nous perdons.

Je suis ici pour dire qu'il y a des personnes qui n'ont jamais été vaincues.

Ce sont celles qui n'ont jamais lutté.

Elles ont su éviter les cicatrices, les humiliations, le sentiment d'abandon et ces moments où les guerriers doutent de l'existence de Dieu.

Ces personnes peuvent se dire avec fierté : « Je n'ai jamais perdu une bataille. » Cependant, elles ne pourront jamais dire : « J'ai gagné une bataille. »

Mais elles s'en moquent. Elles vivent dans un univers où, croient-elles, rien ne les atteindra jamais, elles ferment les yeux sur les injustices et la souffrance, elles se sentent en sécurité parce qu'elles n'ont pas besoin de s'attaquer aux défis quotidiens que rencontrent ceux qui se risquent à dépasser leurs limites.

Elles n'ont jamais entendu dire : « Adieu. » Ni : « Me voilà de retour. Serre-moi dans tes bras avec tout le plaisir de quelqu'un qui m'avait perdu et m'a retrouvé. »

Ceux qui n'ont jamais connu la défaite ont l'air joyeux et supérieurs, maîtres d'une vérité pour laquelle ils n'ont jamais fait le moindre geste. Alors ils sont toujours à côté du plus fort. Ils sont comme des hyènes, qui ne mangent que les restes du lion.

Ils enseignent à leurs enfants : « Ne vous mêlez pas des conflits, vous seriez perdants. Gardez vos doutes pour vous et vous n'aurez jamais de problèmes. Si quelqu'un vous agresse, ne vous sentez pas offensés et ne vous rabaissez pas en cherchant à répondre à l'attaque. Il y a d'autres sujets de préoccupation dans la vie. »

Dans le silence de la nuit, ils affrontent leurs batailles imaginaires : les rêves non réalisés, les injustices qu'ils ont fait semblant de ne pas voir, les moments de lâcheté qu'ils ont réussi à dissimuler à tous – même à eux – et l'Amour qui a croisé leur chemin avec une étincelle dans les yeux, celui que la main de Dieu leur avait destiné et que, pourtant, ils n'ont pas eu le courage d'aborder.

Et ils promettent : « Demain sera différent. »

Mais le lendemain arrive et vient la question qui les paralyse : « Et si tout était perdu ? »

Alors ils ne font rien.

Malheur à ceux qui n'ont jamais été vaincus ! Ils ne seront pas non plus vainqueurs dans cette vie.

« Parle-nous de la solitude », demanda une jeune fille qui était sur le point de se marier avec le fils de l'un des hommes les plus riches de la ville et qui maintenant était obligée de fuir.

Et il répondit :

Sans la solitude, l'Amour ne restera pas très long-temps à tes côtés.

Parce que l'Amour a aussi besoin de repos, pour pouvoir voyager dans les cieux et se manifester sous d'autres formes.

Sans la solitude, aucune plante ou animal ne sur-vit, aucune terre n'est fertile très longtemps, aucun enfant ne peut apprendre la vie, aucun artiste ne peut créer, aucun travail ne peut grandir et se trans-former.

La solitude n'est pas l'absence de l'Amour, mais son complément.

La solitude n'est pas l'absence de compagnie, mais le moment où notre âme est libre de converser avec nous et de nous aider à décider de nos vies.

Alors, que soient bénis ceux qui ne redoutent pas la solitude. Qui n'ont pas peur de se tenir compa-gnie, qui ne cherchent pas désespérément une occupation ou un amusement, ou quelque chose à juger.

Parce que celui qui n'est jamais seul ne se connaît plus lui-même.

Et celui qui ne se connaît pas se met à redouter le vide.

Mais le vide n'existe pas. Un monde immense se cache dans notre âme, attendant d'être découvert. Il est là, avec sa force intacte, mais il est tellement nouveau et tellement puissant que nous avons peur d'en accepter l'existence.

Parce que le fait de découvrir qui nous sommes nous oblige à accepter que nous pouvons aller beaucoup plus loin que nous n'en avons l'habitude. Et cela nous effraie. Mieux vaut ne pas prendre tous ces risques, puisque nous pouvons toujours dire : « Je n'ai pas fait ce que j'aurais dû parce qu'on ne m'a pas laissé faire. »

C'est plus confortable. C'est plus sûr. Et, en même temps, c'est renoncer à la vie même.

Malheur à ceux qui préfèrent passer leur vie à dire : « Je n'ai pas eu l'occasion ! »

Parce que jour après jour ils ont coulé un peu plus dans le puits de leurs propres limites, et le moment viendra où ils n'auront plus de forces pour s'en échapper et retrouver la lumière qui brille par l'ouverture au-dessus de leur tête.

Et bénis soient ceux qui disent : « Je n'ai pas le courage. »

Parce que ceux-là comprennent que ce n'est pas la faute des autres. Et tôt ou tard ils trouveront la foi nécessaire pour affronter la solitude et ses mystères.

Et pour ceux qui ne se laissent pas effrayer par la solitude qui révèle les mystères, tout aura un goût différent.

Dans la solitude, ils découvriront l'amour qui pourrait arriver sans qu'on l'aperçoive. Dans la solitude, ils comprendront et respecteront l'amour qui est parti.

Dans la solitude, ils sauront décider s'il vaut la peine de lui demander de revenir, ou s'ils devront permettre à l'un et l'autre de suivre un nouveau chemin.

Dans la solitude, ils apprendront que dire « non » n'est pas toujours un manque de générosité, et que dire « oui » n'est pas toujours une vertu.

Et que ceux qui sont seuls en ce moment ne se laissent jamais effrayer par les mots du démon, qui dit : « Tu perds du temps. »

Ou par les mots, encore plus puissants, du chef des démons : « Tu ne comptes pour personne. »

L'Énergie Divine nous écoute quand nous parlons avec les autres, mais elle nous écoute aussi quand nous sommes tranquilles, silencieux, acceptant la solitude comme une bénédiction.

Et à ce moment-là, Sa lumière éclaire tout ce qui est autour de nous et nous fait voir à quel point nous sommes nécessaires, combien notre présence sur Terre fait une immense différence pour Son travail.

Et quand nous parvenons à cette harmonie, nous recevons plus que nous n'avons demandé.

Et à ceux qui se sentent opprimés par la solitude, il faut rappeler ceci : dans les moments les plus importants de la vie, nous serons toujours seuls.

Comme l'enfant sortant du ventre de la femme : quel que soit le nombre de personnes qui sont autour de lui, c'est à lui que revient la décision finale de vivre.

Comme l'artiste devant son œuvre : pour que son travail soit vraiment bon, il doit être tranquille et n'écouter que la langue des anges.

Comme nous nous trouverons un jour devant la mort, l'Indésirable : nous serons seuls au moment le plus important et le plus redouté de notre existence.

De même que l'Amour est la condition divine, la solitude est la condition humaine. Et ils vivent tous les deux ensemble sans conflit pour ceux qui comprennent le miracle de la vie.

Et un garçon qui avait été choisi pour partir déchira ses vêtements et dit :

« Ma ville juge que je ne suis pas apte au combat. Je suis inutile. »

Et il répondit :

Certaines personnes disent : « Je ne parviens pas à éveiller l'amour des autres. » Mais dans l'amour resté sans réponse, il y a toujours l'espoir qu'un jour il soit accepté.

D'autres écrivent dans leur journal : « Mon génie n'est pas reconnu, mon talent n'est pas apprécié, mes rêves ne sont pas respectés. » Mais, pour ceux-là aussi, il y a l'espoir que les choses changent après beaucoup de luttes.

D'autres encore passent leur temps à frapper aux portes en expliquant : « Je suis au chômage. » Ils savent que, s'ils ont de la patience, une porte s'ouvrira un jour.

Mais il y a ceux qui se réveillent tous les matins le cœur lourd. Ils ne sont pas en quête d'amour, de reconnaissance, de travail.

Ils se disent : « Je suis inutile. Je vis parce que je dois survivre, mais personne, absolument personne, ne s'intéresse à ce que je fais. »

Le soleil brille dehors, la famille est autour, ils veulent conserver le masque de la joie parce qu'aux yeux des autres ils ont tout ce dont ils ont rêvé. Mais ils sont convaincus que tout le monde peut se passer d'eux. Ou bien parce qu'ils sont trop jeunes et constatent que les plus âgés ont d'autres préoccupations, ou bien parce qu'ils sont trop vieux et jugent que les plus jeunes se moquent bien de ce qu'ils ont à dire.

Le poète écrit quelques lignes et les jette à la poubelle, pensant : « Cela n'intéresse personne. »

L'employé arrive au travail et ne fait que répéter la tâche de la veille. Il est convaincu que, si un jour il est licencié, personne ne remarquera son absence.

La jeune fille coud sa robe en s'appliquant à chaque détail et, quand arrive la fête, elle comprend ce que disent les regards : elle n'est ni plus jolie ni plus laide qu'une autre, ce n'est qu'une robe de plus parmi des millions d'autres partout dans le monde où, à ce moment précis, des fêtes semblables ont lieu. Certaines dans de vastes châteaux, d'autres dans de petits villages où tout le monde connaît tout le monde et a son mot à dire sur la robe des autres.

Sauf sur la sienne, qui est passée inaperçue. Elle n'était ni jolie ni laide, c'était seulement une robe de plus.

Inutile.

Les plus jeunes se rendent compte que le monde est bourré d'énormes problèmes qu'ils rêvent de résoudre, mais personne ne s'intéresse à leur opinion. « Vous ne connaissez pas encore la réalité du monde », entendent-ils. « Écoutez les plus vieux et vous saurez quoi faire. »

Les plus vieux ont acquis expérience et maturité, ils ont appris durement de l'adversité, mais quand vient l'heure de transmettre leur savoir, cela n'intéresse personne. « Le monde a changé », entendent-ils. « Il faut accompagner le progrès et écouter les plus jeunes. »

Sans respecter l'âge et sans demander la permission, le sentiment d'inutilité ronge l'âme, répétant toujours : « Personne ne s'intéresse à toi, tu n'es rien, la planète n'a pas besoin de ta présence. »

Dans l'intention désespérée de donner un sens à leur vie, beaucoup se tournent vers la religion, parce qu'une lutte au nom de la foi paraît toujours la preuve d'une certaine grandeur, qui peut transformer le monde. « Nous travaillons pour Dieu », se disent-ils.

Et ils se transforment en dévots. Ensuite ils se transforment en évangélistes. Et finalement en fanatiques.

Ils ne comprennent pas que la religion a été faite pour partager les mystères et l'adoration – jamais pour opprimer et convertir les autres. La plus grande manifestation du miracle de Dieu est la vie.

Ce soir, je pleurerai sur toi, ô Jérusalem, parce que cette compréhension de l'Unité Divine va disparaître dans les mille ans à venir.

*

Demandez à une fleur des champs : « Te sens-tu inutile, puisque tu ne fais que reproduire d'autres fleurs semblables ? »

Elle répondra : « Je suis belle, et la beauté en soi est ma raison de vivre. »

Demandez à un fleuve : « Te sens-tu inutile, puisque tu ne fais que couler toujours dans la même direction ? »

Il répondra : « Je n'essaie pas d'être utile, j'essaie d'être un fleuve. »

Rien dans ce monde n'est inutile aux yeux de Dieu. Ni une feuille qui tombe de l'arbre, ni un cheveu qui tombe de la tête, ni un insecte qui est mort parce qu'il dérangeait. Tout a une raison d'être.

Y compris toi qui viens de poser cette question. « Je suis inutile » est une réponse que tu te donnes à toi-même.

Bientôt elle t'aura empoisonné, et tu seras un mort vivant — même si tu continues à marcher, manger, dormir et tâcher de t'amuser quand ce sera possible.

N'essaie pas d'être utile. Essaie d'être toi : cela suffit et cela fait toute la différence.

Ne marche ni plus vite ni plus lentement que ton âme. C'est elle qui t'apprendra quelle est ton utilité à chaque pas. Parfois, c'est prendre part à un grand combat qui contribuera à changer le cours de l'Histoire. Mais parfois, c'est simplement sourire sans motif à quelqu'un que tu as croisé par hasard dans la rue.

Sans en avoir la moindre intention, tu as pu sauver la vie d'un inconnu qui lui aussi se jugeait inutile, et qui était peut-être sur le point de se tuer, jusqu'à ce qu'un sourire lui donne espoir et confiance.

*

Tu peux bien revisiter ta vie et revoir chaque moment où tu as souffert, sué et souri sous le soleil, tu ne pourras jamais savoir précisément quand tu as été utile aux autres.

Une vie n'est jamais inutile. Chaque âme descendue sur Terre a une raison d'être là.

Les personnes qui font vraiment du bien aux autres ne cherchent pas à être utiles, mais à mener une vie intéressante. Elles ne donnent presque jamais de conseils, mais servent d'exemple.

Efforce-toi seulement de vivre ce que tu as toujours désiré vivre. Évite de critiquer les autres et concentre-toi sur ce dont tu as toujours rêvé. Il se peut que tu n'y accordes pas assez d'importance.

Mais Dieu, qui voit tout, sait que l'exemple que tu donnes contribue à rendre le monde meilleur. Et chaque jour, il te couvrira de nouvelles bénédictions.

*

Et quand arrivera l'Indésirable, tu l'entendras dire :

« Il est juste de demander : "Mon Père, mon Père, pourquoi m'as-tu abandonné ? " »

« Mais maintenant, en cette dernière seconde de ta vie sur Terre, je vais te dire ce que j'ai vu : j'ai trouvé la maison propre, la table mise, le champ labouré, les fleurs souriantes. J'ai trouvé chaque chose à sa place, comme il se devait. Tu as compris que ce sont les petites choses qui font les grands changements.

« C'est pour cela que je vais t'emmener au Paradis. »

Et une femme du nom d'Almira, qui était couturière, dit :

« J'aurais pu partir avant l'arrivée des croisés et aujourd'hui je travaillerais en Égypte. Mais j'ai toujours eu peur de changer. »

Et il répondit :

Nous avons peur de changer parce que nous estimons qu'après beaucoup d'efforts et de sacrifices nous connaissons notre monde.

Et même s'il n'est pas le meilleur, même si nous ne sommes pas entièrement satisfaits, au moins nous n'aurons pas de surprises. Nous ne commettrons pas d'erreurs.

Quand ce sera nécessaire, nous ferons de petits changements pour que rien ne change.

Nous voyons que les montagnes restent à la même place. Nous voyons que les arbres qui ont déjà poussé finissent par mourir quand ils sont transplantés.

Et nous disons : « Je veux être comme les montagnes et les arbres. Solides et respectés. »

Même si, la nuit, nous nous réveillons en pensant : « J'aimerais être comme les oiseaux, qui peuvent visiter Damas et Bagdad et revenir quand ils le désirent. »

Ou alors : « Plût à Dieu que je sois comme le vent, dont personne ne sait d'où il vient ni où il va et qui change de direction sans devoir d'explications à personne. »

Mais le lendemain nous nous rappelons que les oiseaux doivent se protéger des chasseurs et des volatiles plus forts qu'eux.

Et que le vent est parfois pris dans un tourbillon et ne fait que tout détruire sur son passage.

Il est bon de rêver qu'il y a toujours de l'espace pour aller plus loin et que nous le ferons un jour. Le rêve nous réjouit, parce que nous savons que nous sommes capables d'en faire davantage.

Rêver n'implique aucun risque. Le danger, c'est de vouloir transformer les rêves en réalité.

Mais vient le jour où le destin frappe à notre porte. Cela peut être le coup délicat de l'Ange du Hasard, ou le coup qui ne peut se confondre avec celui de l'Indésirable. Tous deux disent : « Change maintenant. » Pas la semaine prochaine, ni le mois prochain, ni l'année prochaine. Les anges disent : « Maintenant. »

Nous écoutons toujours l'Indésirable. Et nous changeons tout à cause de la peur qu'elle nous cause : nous changeons de village, d'habitudes, de trottoir, de nourriture, de comportement. Nous ne pouvons pas convaincre l'Indésirable de nous permettre de continuer comme avant. Il n'y a pas de dialogue possible.

Nous écoutons aussi l'Ange du Hasard, mais à lui nous demandons : « Où veux-tu m'emmener ?

— Vers une nouvelle vie », répond-il.

Et nous nous souvenons que nous avons nos problèmes mais que nous pouvons les résoudre, même si nous passons de plus en plus de temps à nous y colleter. Nous devons servir d'exemple à nos parents, à nos maîtres, à nos enfants, et rester sur le bon chemin.

Nos voisins attendent de nous que nous sachions enseigner à tout le monde la vertu de la persévérance, le moyen de lutter contre l'adversité et de surmonter les obstacles.

Et nous sommes fiers de notre comportement. Et l'on nous félicite parce que nous n'acceptons pas de changer, mais restons sur la route que le destin a choisie pour nous.

*

Mais rien n'est plus faux.

Parce que le bon chemin, c'est celui de la nature : en constante mutation, comme les dunes du désert.

Ceux qui pensent que les montagnes ne changent pas se trompent. Elles naissent des tremblements de terre, elles sont travaillées par le vent et par la pluie, et elles sont chaque jour différentes – même si nos yeux ne voient pas tout cela.

Les montagnes changent et se réjouissent : « Qu'il est bon que nous ne soyons pas les mêmes », se disent-elles entre elles.

Ceux qui pensent que les arbres ne changent pas se trompent. Il leur faut accepter la nudité de l'hiver et le costume de l'été. Et ils vont plus loin que le terrain dans lequel ils sont plantés, parce que les oiseaux et le vent répandent leurs semences.

Les arbres se réjouissent : « Je pensais que j'étais unique et aujourd'hui je découvre que je suis multiple », disent-ils à leurs enfants qui commencent à pousser tout autour.

*

La nature nous dit : change.

Et ceux qui ne craignent pas l'Ange du Hasard comprennent qu'il faut aller de l'avant, malgré la peur. Malgré les doutes, les récriminations, les menaces.

Ils se confrontent à leurs valeurs et à leurs préjugés. Ils écoutent les conseils de ceux qui les aiment : « Ne fais pas ça, tu as tout ce qu'il te faut : l'amour de tes parents, la tendresse de ton épouse et de tes enfants, l'emploi que tu as eu tant de mal à trouver. Ne cours pas le risque d'être un étranger dans un pays étranger. »

Mais ils risquent le premier pas – quelquefois par curiosité, d'autres fois par ambition, mais en général mus par le désir incontrôlable de l'aventure.

À chaque virage du chemin, ils se sentent plus intimidés. Cependant, ils se surprennent eux-mêmes : ils sont plus forts et plus joyeux.

La joie. C'est l'une des principales bénédictions du Tout-Puissant. Si nous sommes joyeux, nous sommes sur le bon chemin.

La peur s'éloigne peu à peu, parce qu'on ne lui a pas accordé l'importance qu'elle désirait.

Une question persiste aux premières étapes du chemin : « Ma décision de changer fait-elle que d'autres souffrent pour moi ? »

Mais celui qui aime veut voir son bien-aimé heureux. S'il a d'abord peur pour lui, ce sentiment est bien vite remplacé par la fierté de le voir faire ce qu'il aime, aller où il a rêvé d'aller.

Plus loin apparaît le sentiment d'abandon.

Mais les voyageurs rencontrent sur la route des gens qui ressentent la même chose. À mesure qu'ils parlent entre eux, ils découvrent qu'ils ne sont pas seuls : ils deviennent des compagnons de voyage, ils partagent la solution qu'ils ont trouvée pour chaque obstacle. Et tous se découvrent plus sages et plus vivants qu'ils ne l'imaginaient.

Dans les moments où la souffrance ou le regret s'installent sous leurs tentes et qu'ils ne parviennent pas à dormir, ils se disent : « Demain, et seulement demain, je ferai un pas de plus. Je peux toujours retourner, parce que je connais le chemin. Un pas de plus ne fera donc pas grande différence. »

*

Et puis un jour, sans prévenir, le chemin cesse de mettre le voyageur à l'épreuve et se montre généreux avec lui. Son esprit, jusque-là perturbé, se réjouit de la beauté et des défis du nouveau paysage.

Et chaque pas, qui auparavant était machinal, devient un pas conscient.

Au lieu de montrer le confort de la sécurité, il enseigne la joie des défis.

Le voyageur poursuit sa route. Au lieu de se plaindre de l'ennui, il se plaint de la fatigue. Mais à ce moment-là, il s'arrête, se repose, jouit du paysage et avance.

Au lieu de passer toute sa vie à détruire les chemins qu'il redoutait de suivre, il se met à aimer celui qu'il est en train de parcourir.

Même si la destination finale est un mystère. Même s'il prend à un certain moment une mauvaise décision. Dieu, qui voit son courage, lui donnera l'inspiration nécessaire pour la corriger.

Ce qui le perturbe encore, ce ne sont pas les faits, mais la peur de ne pas savoir se comporter face à eux. Une fois qu'il a décidé de suivre son chemin et n'a plus le choix, il se découvre une volonté infaillible, et les faits se plient à ses décisions.

« Difficulté » est le nom d'un vieil outil, créé uniquement pour nous aider à définir qui nous sommes.

Les traditions religieuses enseignent que la foi et la transformation sont la seule manière de nous rapprocher de Dieu.

La foi nous montre qu'à aucun moment nous ne sommes seuls.

La transformation nous fait aimer le mystère.

Et quand tout paraîtra sombre et que nous nous sentirons désemparés, nous ne regarderons pas en arrière, de crainte de voir les transformations qui se sont produites dans notre âme. Nous regarderons devant nous.

Nous ne craindrons pas ce qui arrivera demain, parce que nous avions hier quelqu'un qui prenait soin de nous.

Et la même Présence restera à nos côtés.

Cette Présence nous mettra à l'abri de la souffrance.

Ou nous donnera la force de l'affronter avec dignité.

Nous irons plus loin que nous le pensons. Nous chercherons l'endroit où se lève l'étoile du matin. Et nous serons surpris de constater qu'il était plus facile d'arriver jusque-là que nous ne l'avions imaginé.

*

L'Indésirable arrive pour ceux qui ne changent pas et pour ceux qui changent. Mais ces derniers peuvent au moins dire : « J'ai eu une vie intéressante, je n'ai pas gaspillé ma bénédiction. »

Et pour ceux qui trouvent que l'aventure est dangereuse, qu'ils essaient la routine : elle tue avant l'heure.

Et quelqu'un demanda :

« Au moment où tout paraît terrible, nous devons nous remonter le moral. Alors, parle-nous de la beauté. »

Et il répondit :

On entend toujours dire : « Ce qui importe, ce n'est pas la beauté extérieure, mais la beauté intérieure. »

Eh bien, rien n'est plus faux que cette phrase.

Si c'était le cas, pourquoi les fleurs feraient-elles tant d'efforts pour attirer l'attention des abeilles ?

Et pourquoi les gouttes de pluie se transformeraient-elles en arc-en-ciel quand elles rencontrent le soleil ?

Parce que la nature désire ardemment la beauté. Et elle n'est satisfaite que lorsqu'elle peut être exaltée.

La beauté extérieure est la partie visible de la beauté intérieure. Et elle se manifeste par la lumière qui se dégage des yeux de chacun. Peu importe que la personne soit mal habillée, qu'elle n'obéisse pas aux critères de ce que nous considérons comme élégant ou qu'elle ne se soucie même pas d'impressionner son entourage. Les yeux sont le miroir de l'âme et ils reflètent tout ce qui semble caché.

Mais, outre le pouvoir de briller, les yeux ont une autre qualité : ils fonctionnent comme un miroir.

Et ils reflètent celui qui les admire. Ainsi, si l'âme de celui qui observe est noire, il verra toujours sa propre laideur. Comme tout miroir, les yeux renvoient à chacun de nous le reflet de son propre visage.

*

La beauté est présente dans tout ce qui est créé. Mais le danger réside dans le fait qu'en tant qu'êtres humains très souvent éloignés de l'Énergie Divine, nous nous laissons entraîner par le jugement d'autrui.

Nous nions notre propre beauté parce que les autres ne peuvent pas, ou ne veulent pas, la reconnaître. Au lieu d'accepter ce que nous sommes, nous voulons imiter ce que nous voyons autour de nous.

Nous cherchons à ressembler à ceux dont tout le monde dit : « Qu'il est beau ! » Petit à petit notre âme dépérit, notre volonté diminue, et tout le potentiel que nous avions pour embellir le monde cesse d'exister.

Nous oublions que le monde est tel que nous l'imaginons.

Nous n'avons plus la clarté de la lune et nous devenons la flaque d'eau qui la reflète. Le lendemain, le soleil évaporera cette eau, et il n'en restera rien.

Tout cela parce qu'un jour quelqu'un a dit : « Tu es laid. » Ou bien un autre a déclaré : « Elle est jolie. » Avec trois mots, ils ont pu voler toute la confiance que nous avions en nous-mêmes.

Et cela nous rend laids. Et cela nous laisse amers.

*

À ce moment-là, nous trouvons du réconfort dans ce que l'on appelle « sagesse » : une masse d'idées empaquetées par des gens qui veulent définir le monde, au lieu de respecter le mystère de la vie. Il y a là les règles, les règlements, les mesures, et tout un bagage absolument inutile qui cherche à établir un modèle de comportement.

La fausse sagesse paraît dire : ne vous souciez pas de la beauté, parce qu'elle est superficielle et éphémère.

*

Ce n'est pas vrai. Tous les êtres créés sous le soleil, des oiseaux aux montagnes, des fleurs aux fleuves, reflètent la merveille de la Création.

Si nous résistons à la tentation d'accepter que d'autres peuvent définir ce que nous sommes, alors peu à peu nous saurons faire luire le soleil qui habite notre âme.

L'Amour passe près de nous et dit : « Je n'avais jamais remarqué ta présence. »

Et notre âme répond : « Sois plus attentif, parce que je suis là. Il a fallu qu'un coup de vent retire la poussière de tes yeux, mais maintenant que tu m'as reconnue, ne m'abandonne pas de nouveau, car tout le monde convoite la beauté. »

Le beau ne réside pas dans l'égalité, mais dans la différence. On ne peut pas imaginer une girafe sans long cou ou un cactus sans épines. C'est l'irrégularité des pics des montagnes qui nous entourent qui les rend imposantes. Si la main de l'homme tentait de leur donner la même forme à toutes, elles n'inspireraient plus le respect.

C'est justement ce qui paraît imparfait qui nous étonne et nous attire.

Quand nous regardons un cèdre, nous ne pensons pas que les branches devraient avoir toutes la même taille. Nous pensons : « Il est robuste. »

Quand nous voyons un serpent, nous ne disons jamais : « Il rampe sur le sol, alors que moi, je marche la tête haute. » Nous pensons : « Bien qu'il soit petit, sa peau est de plusieurs couleurs, son mouvement élégant, et il est plus puissant que moi. »

Quand le chameau traverse le désert et nous porte là où nous voulons aller, nous ne disons jamais : « Il a des bosses et ses dents sont affreuses. » Nous pensons : « Il est digne de mon amour pour sa loyauté et l'aide qu'il m'offre. Sans lui, je ne pourrais jamais connaître le monde. »

Un coucher de soleil est toujours plus beau quand le ciel est couvert de nuages irréguliers, parce qu'ainsi seulement il peut refléter les nombreuses couleurs dont sont faits les rêves et les vers du poète.

Plaignons ceux qui pensent : « Je ne suis pas beau, parce que l'Amour n'a pas frappé à ma porte. » En réalité, l'Amour a frappé, mais ils n'ont pas ouvert parce qu'ils n'étaient pas préparés à le recevoir.

Ils tentaient de se faire une beauté, alors qu'en réalité ils étaient déjà prêts.

Ils tentaient d'imiter les autres, alors que l'Amour cherchait un objet original.

Ils voulaient refléter ce qui venait du dehors et avaient oublié la Lumière plus vive qui venait de l'intérieur.

Et un garçon qui devait partir cette nuit-là dit :

« Je n'ai jamais su quelle direction prendre. »

Et il répondit :

Comme le soleil, la vie répand sa lumière dans toutes les directions.

Et en naissant, nous voulons tout en même temps, sans contrôler l'énergie qui nous est donnée.

Mais si nous avons besoin de feu, il faut faire en sorte que les rayons du soleil convergent tous au même point.

Et le grand secret que l'Énergie Divine a révélé au monde, c'est le feu. Non seulement celui qui réchauffe, mais celui qui transforme le blé en pain.

Puis vient le moment où nous devons concentrer ce feu intérieur pour que notre vie ait un sens.

Alors nous enquêtons auprès des cieux : « Quel est donc ce sens ? »

Certains écartent tout de suite cette question : elle incommode, elle fait perdre le sommeil, et il n'y a aucune réponse à portée de main. Ce sont eux qui plus tard vivront le lendemain comme la veille.

Et quand l'Indésirable arrivera, ils diront : « Ma vie a été courte, j'ai gaspillé ma bénédiction. »

*

D'autres acceptent la question. Mais comme ils ne savent pas y répondre, ils commencent à lire ce qu'ont écrit ceux qui avaient affronté le défi. Et soudain ils trouvent une réponse qu'ils jugent correcte.

Alors, ils deviennent esclaves de cette réponse. Ils créent des lois qui obligent tout le monde à accepter ce qu'ils croient être la raison de l'existence. Ils construisent des temples pour lui donner une justification et des tribunaux pour ceux qui ne sont pas d'accord avec ce qu'ils considèrent comme la vérité absolue.

Enfin, il y a ceux qui comprennent que la question est un piège : elle n'a pas de réponse.

Au lieu de perdre du temps dans ce piège, ils décident d'agir. Ils vont découvrir dans l'enfance ce qui leur donnait le plus d'enthousiasme et — malgré le conseil des plus vieux — consacrent leur vie à cette recherche.

Parce que dans l'Enthousiasme est le Feu Sacré.

Peu à peu, ils découvrent que leurs gestes sont liés à une intention mystérieuse, au-delà de la connaissance humaine. Ils baissent la tête en signe de respect pour le mystère et prient pour ne pas se détourner d'un chemin qu'ils ne connaissent pas, mais qu'ils parcourent à cause de la flamme qui brûle dans leur cœur.

Ils recourent à l'intuition quand il est facile de s'y référer et à la discipline quand l'intuition ne se manifeste pas.

Ils ont l'air fou. Quelquefois, ils se comportent comme des fous. Mais ils ne sont pas fous. Ils ont découvert le véritable Amour et le pouvoir de la Volonté.

Et l'Amour et la Volonté seuls révèlent leur but et la voie qu'ils doivent suivre.

La Volonté est transparente, l'Amour est pur et les pas sont fermes. Dans les moments de doute, dans les moments de tristesse, ils n'oublient jamais : « Je suis un instrument. Permets-moi d'être un instrument capable d'exprimer Ta Volonté. »

Le chemin est choisi, et c'est peut-être seulement quand ils seront face à l'Indésirable qu'ils en comprendront le but. En cela réside la beauté de celui qui avance en ayant pour seul guide l'Enthousiasme et en respectant le mystère de la vie : son chemin est beau et son fardeau est léger.

Le but peut être grand ou petit, se trouver très loin ou près de chez lui, mais il va à sa recherche avec respect et honneur. Il sait ce que chaque pas signifie et ce qu'il lui a coûté d'effort, d'entraînement, d'intuition.

Il se concentre non seulement sur la cible à atteindre, mais sur tout ce qui se passe autour de lui. Très souvent il est obligé de s'arrêter parce qu'il n'a plus de force.

À ce moment-là, l'Amour apparaît et dit : « Tu penses que tu marches vers un point, mais l'existence de ce point se justifie seulement parce que tu l'aimes.

« Repose-toi un peu, mais dès que tu le pourras, lève-toi et poursuis ta route. Depuis qu'il sait que tu viens vers lui, il court aussi à ta rencontre. »

*

Celui qui oublie la question, celui qui y répond ou celui qui comprend que l'action est la seule manière de l'affronter rencontreront les mêmes obstacles et auront les mêmes raisons de se réjouir.

Mais seul celui qui accepte avec humilité et courage l'impénétrable projet de Dieu sait qu'il est sur le bon chemin.

Et une femme qui n'était plus toute jeune et n'avait jamais rencontré un homme pour se marier déclara :

« L'Amour n'a jamais voulu parler avec moi. »

Et il répondit :

Pour que nous entendions les mots de l'Amour, il faut le laisser s'approcher.

Mais quand il arrive près de nous, nous avons peur de ce qu'il a à nous dire. Parce que l'Amour est libre et que sa voix n'est pas régie par notre volonté ou par nos efforts. Tous les amants le savent, mais ils ne se résignent pas. Ils pensent qu'ils peuvent le séduire par la soumission, le pouvoir, la beauté, la richesse, des larmes et des sourires.

Mais le véritable Amour est celui qui séduit et ne se laisse jamais séduire.

L'amour transforme, l'amour soigne. Mais quelquefois, il construit des pièges mortels et finit par détruire la personne qui a décidé de s'y abandonner totalement. Comment la force qui fait bouger le monde et tient les étoiles à leur place peut-elle être aussi constructive et aussi dévastatrice en même temps ?

Nous ne nous habituons pas à l'idée que ce que nous donnons est égal à ce que nous recevons. Mais les personnes qui aiment en espérant être aimées en retour perdent leur temps.

L'amour est un acte de foi, et non un échange.

Ce sont les contradictions qui font grandir l'amour. Ce sont les conflits qui permettent que l'amour reste à nos côtés.

La vie est trop courte pour que nous cachions dans notre cœur des mots importants.

Par exemple, « Je t'aime ».

Mais ne t'attends pas toujours à entendre la même phrase en échange. Nous aimons parce que nous avons besoin d'aimer. Sans cela, la vie perd tout son sens et le soleil cesse de briller.

Une rose rêve de la compagnie des abeilles, mais aucune n'apparaît. Le soleil demande :

« N'es-tu pas fatiguée d'attendre ?

— Si, répond la rose. Mais si je ferme mes pétales, je me fane. »

Alors, même quand l'Amour ne vient pas, nous restons ouverts à sa présence. Dans les moments où la solitude semble tout écraser, la seule manière de résister est de continuer à aimer.

*

Le principal but de la vie, c'est aimer. Le reste est silence.

Nous avons besoin d'aimer. Même si cela nous mène au pays où les lacs sont faits de larmes. Oh ! lieu secret et mystérieux, le pays des larmes !

Les larmes parlent d'elles-mêmes. Et quand nous pensons que nous avons versé toutes les larmes que nous devions verser, elles jaillissent encore. Et quand nous croyons que notre vie ne sera qu'une longue marche dans la Vallée de la Douleur, brusquement les larmes disparaissent.

Parce que nous avons su garder notre cœur ouvert, malgré la souffrance.

Parce que nous découvrons que celui qui est parti n'a pas emporté avec lui le soleil ni laissé à sa place les ténèbres. Il est seulement parti – et chaque adieu porte en secret l'espoir.

Mieux vaut avoir aimé et perdu que n'avoir jamais aimé.

*

Notre seul et vrai choix, c'est de nous livrer au mystère de cette force incontrôlable. Certes, nous pouvons dire : « J'ai beaucoup souffert et je sais que cela ne va pas durer » et éloigner l'Amour du seuil de notre porte, mais alors, nous serons morts pour la vie.

Parce que la nature est la manifestation de l'Amour de Dieu. Malgré tout ce que nous faisons, elle nous aime encore. Aussi, respectons et comprenons ce que la nature nous enseigne.

Nous aimons parce que l'Amour nous libère. Et nous nous mettons à dire les mots que nous n'avions même pas le courage de nous murmurer.

Nous prenons la décision que nous laissions pour plus tard.

Nous apprenons à dire « non », sans considérer ce mot comme maudit.

Nous apprenons à dire « oui », sans en redouter les conséquences.

Nous oublions tout ce qu'on nous a appris sur l'Amour, parce que chaque rencontre est différente et porte en elle ses angoisses et ses extases.

Nous chantons plus fort quand la personne aimée est loin et nous murmurons des poèmes quand elle est près de nous. Même si elle n'écoute pas ou n'accorde pas d'importance à nos cris et à nos murmures.

Nous ne fermons pas les yeux sur l'Univers pour nous plaindre de le trouver sombre. Nous gardons les yeux bien ouverts, en sachant que sa lumière peut nous pousser à faire des choses insensées. Cela fait partie de l'Amour.

Notre cœur est ouvert à l'Amour et nous l'offrons sans crainte, parce que nous n'avons plus rien à perdre.

Alors nous découvrons, en rentrant chez nous, que quelqu'un était là à nous attendre, cherchant la même chose que nous et souffrant des mêmes angoisses et des mêmes inquiétudes.

Parce que l'Amour est comme l'eau qui se transforme en nuage : il est haut dans le ciel et voit tout de loin, conscient qu'il devra un jour regagner la terre.

Parce que l'Amour est comme le nuage qui se transforme en pluie : il est attiré par la terre et fertilise le champ.

Amour n'est qu'un mot, jusqu'au moment où nous décidons de le laisser nous posséder de toute sa force.

Amour n'est qu'un mot, jusqu'à ce que quelqu'un vienne lui donner un sens.

Ne renonce pas. En général, c'est la dernière clef du trousseau qui ouvre la porte.

Mais un jeune homme n'était pas de cet avis :

« Tes paroles sont belles, mais en réalité nous n'avons jamais beaucoup de choix.
La vie et notre communauté se sont chargées de planifier notre destinée. »

Un vieux ajouta :

« Je ne peux plus revenir en arrière et retrouver les moments perdus. »

Et il répondit :

Ce que je vais dire maintenant peut n'être d'aucune utilité la veille d'une invasion. Cependant, notez et conservez mes propos pour qu'un jour tout le monde puisse savoir comment nous vivions à Jérusalem.

*

Le Copte réfléchit un peu, puis il continua :

Personne ne peut revenir en arrière, mais tout le monde peut aller de l'avant.

Et demain, quand le soleil se lèvera, il suffira de se répéter :

Je vais regarder cette journée comme si c'était la première de ma vie.

Regarder les membres de ma famille avec surprise et émerveillement – joyeux de découvrir qu'ils sont à mes côtés, partageant en silence quelque chose qui s'appelle Amour, dont on parle beaucoup et que l'on comprend mal.

Je demanderai à accompagner la première caravane qui se présentera à l'horizon, sans m'informer de la direction qu'elle prend. Et je cesserai de la suivre quand quelque chose d'intéressant attirera mon attention.

Je passerai près d'un mendiant qui me réclamera une pièce. Je la lui donnerai peut-être ou bien je penserai qu'il va tout dépenser en vin et je ne m'arrêterai pas – écoutant ses insultes et comprenant que c'est sa manière de communiquer avec moi.

Je passerai près de quelqu'un qui tente de détruire un pont. J'essaierai peut-être de l'en empêcher, ou bien je comprendrai qu'il fait cela parce que personne ne l'attend de l'autre côté, et qu'il veut chasser ainsi sa solitude.

Je regarderai tout et tout le monde comme si c'était la première fois – surtout les petites choses auxquelles je me suis habitué en oubliant la magie qui les entoure. Les dunes du désert, par exemple, qui se déplacent avec une énergie que je ne comprends pas, parce que je ne peux pas distinguer le vent.

Sur le parchemin que j'emporte toujours avec moi, plutôt que de noter des choses que je ne veux pas oublier, j'écrirai un poème. Même si je n'ai encore jamais fait cela et même si je ne le ferai plus jamais, je saurai que j'ai eu le courage de mettre mes sentiments en mots.

Lorsque j'arriverai dans un village que je connais déjà, j'entrerai par un chemin différent. Je serai souriant, et les habitants des lieux se diront entre eux :

86

« Il est fou, parce que la guerre et la destruction ont rendu la terre stérile. »

Mais je continuerai à sourire, parce que l'idée qu'ils pensent que je suis fou me plaît. Mon sourire est ma manière de dire : « Ils peuvent donner à mon corps le coup ultime, mais ils ne peuvent pas détruire mon âme. »

Cette nuit, avant de partir, je vais me consacrer à un tas de choses que je n'ai jamais eu la patience de mettre en ordre. Et je finirai par découvrir que là se trouve un peu de mon histoire. Toutes les lettres, toutes les notes, coupures et reçus prendront vie et auront des histoires curieuses – du passé et de l'avenir – à me raconter. Tant de choses dans le monde, tant de chemins parcourus, d'entrées et de sorties dans ma vie.

Je vais mettre une chemise que je porte toujours et, pour la première fois, prêter attention à la façon dont elle est cousue. J'imaginerai les mains qui ont tissé le coton, et la rivière dans laquelle les fibres de la plante ont poussé. Je comprendrai que toutes ces choses maintenant invisibles font partie de l'histoire de ma chemise.

Et même les choses auxquelles je suis habitué – comme les chaussures qui sont devenues une extension de mes pieds après avoir beaucoup servi – seront revêtues du mystère de la découverte. Comme je marche vers l'avenir, il m'aidera avec les marques qui sont restées chaque fois que j'ai trébuché dans le passé.

Que tout ce que ma main touchera, que mes yeux verront et que ma bouche goûtera soit différent, bien que semblable. Ainsi, toutes ces choses cesseront d'être nature morte et m'expliqueront pourquoi elles sont avec moi depuis si longtemps. Elles manifesteront le miracle des retrouvailles avec des émotions que la routine avait consumées.

Je goûterai le thé que je n'ai jamais bu parce qu'on m'avait dit qu'il était mauvais. Je me promènerai dans une rue où je n'ai jamais mis les pieds parce qu'on m'avait dit qu'elle n'avait rien d'intéressant. Et je découvrirai si je veux y revenir.

Je veux regarder pour la première fois le soleil, si demain il fait soleil.

Je veux regarder où vont les nuages, si le temps est nuageux. Je pense toujours que je n'en ai pas le temps, ou je ne fais pas assez attention. Eh bien, demain je me concentrerai sur le chemin des nuages ou sur les rayons du soleil et les ombres qu'ils provoquent.

Au-dessus de ma tête, il y a un ciel au sujet duquel toute l'humanité, au long de milliers d'années d'observation, a tissé toute une série d'explications raisonnables.

Eh bien, j'oublierai tout ce que j'ai appris concernant les étoiles, et elles redeviendront des anges, des enfants, ou autre chose si j'ai envie d'y croire à ce moment.

Le temps et la vie m'ont donné beaucoup d'explications logiques pour tout, mais mon âme se nourrit de mystères. J'ai besoin du mystère, d'entendre dans le tonnerre la voix d'un dieu enragé, ce que beaucoup ici considèrent pourtant comme une hérésie.

Je veux remettre de la fantaisie dans ma vie, parce qu'un dieu en colère est beaucoup plus curieux, terrifiant et intéressant qu'un phénomène expliqué par des savants.

Pour la première fois, je sourirai sans culpabilité, parce que la joie n'est pas un péché.

Pour la première fois, j'éviterai tout ce qui me fait souffrir, parce que la souffrance n'est pas une vertu.

Je ne me plaindrai pas de la vie en disant : tout est pareil, je ne peux rien faire pour changer. Parce que je vis ce jour comme si c'était le premier et je découvrirai tout au long des choses dont je n'ai jamais su qu'elles se trouvaient là.

Bien que je sois déjà passé par les mêmes lieux un nombre incalculable de fois et aie dit « bonjour » aux mêmes personnes, aujourd'hui mon « bonjour » sera différent. Ce ne seront pas des mots de politesse, mais une manière de bénir les autres, le désir que tous comprennent qu'il est important que nous soyons en vie, même quand la tragédie rôde autour de nous et nous menace.

Je prêterai attention aux paroles de la chanson que le poète chante dans la rue, même si les gens ne l'écoutent pas parce que leur âme est étouffée par la peur. La chanson dit : « L'amour est roi, mais personne ne sait où est son trône / Pour connaître le lieu secret, je dois d'abord me soumettre à lui. »

Et j'aurai le courage d'ouvrir la porte du sanctuaire qui mène jusqu'à mon âme.

Je dois me regarder comme si j'étais pour la première fois en contact avec mon corps et mon âme.

Je dois être capable de m'accepter comme je suis. Une personne qui marche, qui sent, qui parle comme n'importe quelle autre, mais qui – malgré ses erreurs – a du courage.

Je dois m'étonner de mes gestes les plus simples, comme parler à un inconnu. De mes émotions les plus fréquentes, comme sentir le sable frapper mon visage quand souffle le vent qui vient de Bagdad. Des moments les plus tendres, comme contempler ma femme endormie près de moi et imaginer son rêve.

Et si je suis seul au lit, j'irai jusqu'à la fenêtre, je regarderai le ciel et j'aurai la certitude que la solitude est un mensonge – l'Univers m'accompagne.

Alors j'aurai vécu chaque heure du jour comme une surprise constante pour moi. Ce Moi qui n'a été créé ni par mon père ni par ma mère, mais par tout ce que j'ai vécu jusqu'à ce jour, que j'ai soudain oublié et que je redécouvre.

Et même si je vis mon dernier jour sur la Terre, j'en profiterai autant que je pourrai, parce que j'aurai l'innocence d'un enfant, comme si je faisais tout pour la première fois.

Et l'épouse d'un commerçant demanda :

« Parle-nous du sexe. »

Et il répondit :

Hommes et femmes en parlent à voix basse parce qu'ils ont transformé un geste sacré en un acte coupable.

Voilà le monde dans lequel nous vivons. Et priver le présent de sa réalité, c'est dangereux. Mais la désobéissance peut être une vertu quand nous savons nous en servir.

Si seuls les corps s'unissent, il n'y a pas de sexe, seulement du plaisir. Le sexe va bien au-delà du plaisir.

Le relâchement et la tension, la douleur et la joie, la timidité et le courage de dépasser les limites y vont de pair.

Comment mettre en harmonie autant d'états opposés ? Il n'y a qu'une manière : en se laissant aller.

Parce que se laisser aller est un acte qui signifie : « J'ai confiance en toi. »

Il ne suffit pas d'imaginer tout ce qui pourrait arriver si nous nous permettions d'unir non seulement nos corps, mais aussi nos âmes.

Laissons-nous donc aller ensemble sur le périlleux chemin de l'abandon. Même périlleux, il n'y en a pas d'autre.

Et même si cela provoque de grandes transformations dans notre monde, nous n'avons rien à perdre. Nous atteignons l'amour total, nous ouvrons la porte qui unit le corps à l'esprit.

Oublions ce qu'on nous a appris : qu'il est noble de donner et humiliant de recevoir.

Pour la plupart des gens, la générosité consiste seulement à donner. Mais recevoir est aussi un acte d'amour. Permettre à l'autre de nous rendre heureux, cela le rendra heureux aussi.

*

Dans l'acte sexuel, quand nous sommes excessivement généreux et que notre plus grande préoccupation est notre partenaire, notre plaisir peut aussi diminuer, ou disparaître.

Quand nous pouvons donner et recevoir avec la même intensité, le corps se tend comme la corde d'un archer, mais l'esprit se détend, comme la flèche qu'on se prépare à tirer. Le cerveau ne dirige plus le processus ; l'instinct est le seul guide.

Corps et âme se rencontrent, et l'Énergie Divine se répand. Pas seulement dans ces parties que beaucoup considèrent comme érotiques. De chaque cheveu, de chaque parcelle de peau émane une lumière de couleur différente, de sorte que deux rivières n'en forment plus qu'une, plus puissante et plus belle.

Tout ce qui est spirituel se manifeste de façon visible, tout ce qui est visible se transforme en énergie spirituelle.

Tout est permis, si tout est accepté.

L'Amour se lasse parfois de ne parler qu'un langage de douceur. Alors laissons-le se manifester dans toute sa splendeur, brûlant comme le soleil et détruisant des forêts de ses rafales.

Si l'un des partenaires se livre totalement, l'autre en fera autant – puisque la honte s'est transformée en curiosité. Et la curiosité nous conduit à explorer tout ce que nous ne connaissions pas en nous.

On doit s'efforcer de voir le sexe comme une offrande. Un rituel de transformation. Comme dans tout rituel, l'extase est présente et glorifie la fin – mais ce n'est pas le seul but. Le plus important, c'est d'avoir parcouru avec notre partenaire la route qui nous a menés à un territoire inconnu, où nous avons trouvé de l'or, de l'encens et de la myrrhe.

Donne au sacré le sens du sacré. Et si des moments de doute surgissent, il faut toujours te rappeler que nous ne sommes pas seuls dans ces moments-là. Les deux parties ressentent la même chose.

Ouvre sans crainte la boîte secrète de tes fantasmes. Le courage de l'un stimulera la bravoure de l'autre.

Et les vrais amants pourront entrer dans le jardin de la beauté sans crainte d'être jugés. Ils ne seront plus deux corps et deux âmes qui se rencontrent, mais une source unique d'où jaillit l'eau de la vie.

Les étoiles contempleront leurs corps nus, et ils n'auront pas honte. Les oiseaux voleront autour, et les amants imiteront leur tapage. Les animaux sauvages s'approcheront prudemment, parce que ce qu'ils voient est encore plus sauvage. Et ils baisseront la tête en signe de respect et de soumission.

Et le temps cessera d'exister. Parce qu'au pays du plaisir qui naît dans le véritable amour, tout est infini.

Et un combattant qui se préparait à mourir le lendemain, mais avait pourtant décidé de venir jusqu'au parvis pour écouter ce que le Copte avait à dire, déclara :

« Nous avons été séparés quand nous voulions être unis. Les villes sur la route des envahisseurs ont finalement subi les conséquences de quelque chose qu'elles n'avaient pas choisi. Qu'est-ce que les survivants doivent dire à leurs enfants ? »

Et il répondit :

Nous sommes nés seuls et nous mourrons seuls. Mais, tant que nous sommes sur cette planète, nous devons accepter et glorifier notre acte de foi en d'autres personnes.

La communauté, c'est la vie : c'est d'elle que vient notre capacité de survie. C'était le cas quand nous habitions les cavernes, et cela continue de nos jours.

Respecte ceux qui ont grandi et appris avec toi. Respecte ceux qui ont enseigné. Quand le jour viendra, raconte tes histoires et enseigne – ainsi la communauté continuera à exister et les traditions demeureront.

Celui qui ne partage pas avec les autres les joies et les moments de découragement ne connaîtra jamais ses qualités et ses défauts.

*

Cependant, sois toujours attentif au danger qui rôde autour de la communauté : les gens sont normalement attirés par un comportement ordinaire. Ils ont pour modèle leurs propres limitations, et sont bourrés de peurs et de préjugés.

Le prix à payer est très élevé, car pour être accepté tu devras plaire à tout le monde.

Et ce n'est pas une preuve d'amour envers la communauté. C'est la preuve que l'on ne s'aime pas.

Seul est aimé et respecté celui qui s'aime et se respecte. N'essaie pas de plaire à tout le monde, ou bien tu perdras le respect de tous.

Cherche tes alliés et tes amis parmi ceux qui sont convaincus par ce qu'ils font et ce qu'ils sont.

Je ne dis pas : cherche celui qui pense comme toi. Je dis : cherche celui qui pense différemment et que tu n'as jamais réussi à convaincre que c'est toi qui as raison.

Parce que l'amitié est l'un des multiples visages de l'Amour, et l'Amour ne se laisse pas mener par des opinions : il accepte sans conditions le compagnon, et chacun progresse à sa manière.

L'amitié est un acte de foi en l'autre, et non un acte de renoncement.

Ne cherche pas à être aimé à tout prix, parce que l'Amour n'a pas de prix.

Tes amis ne sont pas ceux qui attirent le regard de tous, qui s'émerveillent et affirment : « Personne n'est meilleur, plus généreux, plus débordant de qualités dans tout Jérusalem. »

Ce sont ceux qui ne peuvent pas attendre que les choses se produisent pour décider ensuite de la meilleure attitude à prendre : ils décident de la mesure qu'ils prennent, même s'ils savent que cela peut être très risqué.

Ce sont des personnes libres de changer de direction quand la vie l'exige. Ils défrichent de nouveaux chemins, racontent leurs aventures et enrichissent ainsi la ville et le village.

S'ils se sont engagés sur une route dangereuse et qui n'est pas la bonne, ils ne te diront jamais : « Ne fais pas ça. »

Ils diront seulement : « J'ai pris une route dangereuse et qui n'était pas la bonne. »

Parce qu'ils respectent ta liberté, de même que tu les respectes.

Évite à tout prix ceux qui ne sont près de toi que dans les moments de tristesse, avec des mots de consolation. Parce que ceux-là en réalité se disent : « Je suis plus fort. Je suis plus sage. Je n'aurais pas fait ce pas. »

Et reste avec ceux qui sont à tes côtés aux heures de joie. Parce que dans ces âmes, il n'y a pas de jalousie ou d'envie, seulement le bonheur de te voir heureux.

Évite ceux qui se jugent plus forts. Parce qu'en réalité ils cachent leur propre fragilité.

Associe-toi à ceux qui n'ont pas peur d'être vulnérables. Parce que ceux-là ont confiance en eux, ils savent que tout le monde trébuche à un certain moment et ils n'interprètent pas cela comme un signe de faiblesse, mais d'humanité.

Évite ceux qui parlent beaucoup avant d'agir, ceux qui n'ont jamais fait un pas sans avoir la certitude qu'ils seraient respectés pour cela.

Associe-toi à celui qui ne t'a jamais dit quand tu t'es trompé : « J'aurais fait autrement. » Parce que, s'il n'a rien fait, il n'est pas en position de juger.

Évite ceux qui se cherchent des amis pour conserver un statut social ou pour ouvrir des portes qu'ils n'ont jamais pu approcher.

Associe-toi à ceux qui ne cherchent à ouvrir qu'une seule porte importante, celle de ton cœur. Qui n'envahiront jamais ton âme sans ton consentement et qui jamais ne se serviront de cette porte ouverte pour tirer une flèche mortelle.

L'amitié a les qualités d'un fleuve qui contourne les rochers, s'adapte aux vallées et aux montagnes, se transforme parfois en lac jusqu'à ce que la dépression soit remplie et qu'il puisse poursuivre son chemin.

De même que le fleuve n'oublie pas que son but est la mer, l'amitié n'oublie pas que sa seule raison d'exister, c'est de faire preuve d'amour envers les autres.

Évite ceux qui disent : « C'est fini, je dois m'arrêter ici. » Parce que ceux-là ne comprennent pas que ni la vie ni la mort n'ont de fin ; elles ne sont que des étapes de l'éternité.

Associe-toi à ceux qui disent : « Même si tout va bien, nous devons aller plus loin. » Parce qu'ils savent qu'il faut toujours aller au-delà des horizons connus.

Évite ceux qui se réunissent pour discuter avec sérieux et prétention les décisions que la communauté doit prendre. Ils s'y entendent en politique, brillent devant les autres et s'efforcent de faire preuve de sagesse. Mais ils ne comprennent pas qu'il est impossible de contrôler la chute d'un seul cheveu. Bien que la discipline soit importante, elle doit laisser ses portes et ses fenêtres ouvertes à l'intuition et à l'inattendu.

Associe-toi à ceux qui chantent, racontent des histoires, profitent de la vie et ont la joie dans les yeux. Parce que la joie est contagieuse et découvre toujours une solution là où la logique n'a trouvé qu'une explication pour une erreur.

Associe-toi à ceux qui laissent la lumière de l'Amour se manifester sans restrictions, sans jugements, sans récompenses, sans qu'elle soit jamais bloquée par la peur d'être incomprise.

Peu importe comment tu te sentiras, tous les matins lève-toi et prépare-toi à diffuser sa lumière.

Ceux qui ne sont pas aveugles la verront briller et en seront enchantés.

Et une jeune fille qui sortait rarement de sa maison, jugeant que personne ne s'intéressait à elle, dit :

« Enseigne-nous l'élégance. »

Un murmure parcourut la place : comment poser une telle question la veille de l'invasion des croisés, quand le sang allait couler dans toutes les rues de la ville ?

Mais le Copte sourit – et ce n'était pas un sourire de dérision, mais de respect pour le courage de la jeune fille.

L'élégance
écarté et c
concentr
plus b
Q
av

Et il répondit :

On confond normalement l'élégance avec la superficialité et l'apparence. Rien n'est plus faux. Certains mots sont élégants, d'autres peuvent blesser et détruire, mais tous sont écrits avec les mêmes lettres. Les fleurs sont élégantes, même cachées entre les herbes des champs. La gazelle qui court est élégante, même quand elle fuit le lion.

L'élégance n'est pas une qualité extérieure, mais une partie de l'âme qui est visible aux autres.

Et même dans les passions les plus turbulentes, l'élégance empêche que soient rompus les vrais liens qui unissent deux personnes.

Elle n'est pas dans les vêtements que nous portons, mais dans la manière dont nous les portons.

Elle n'est pas dans la façon dont nous saisissons l'épée, mais dans le dialogue qui peut éviter une guerre.

*

est atteinte quand tout le superflu est
que nous découvrons la simplicité et la
tion : plus simple et sobre est la posture,
elle elle sera.

u'est-ce que la simplicité ? C'est la rencontre
c les vraies valeurs de la vie.

La neige est belle parce qu'elle est d'une seule couleur.

La mer est belle parce qu'elle ressemble à une surface plane.

Le désert est beau parce qu'il paraît être seulement un champ de sable et de rochers.

Mais quand nous nous en approchons, nous découvrons qu'ils sont profonds, intègres, et connaissent leurs qualités.

Les choses les plus simples de la vie sont les plus extraordinaires. Laisse-les se manifester.

Regarde les lis des champs : ils ne tissent pas, ni ne filent. Et pourtant même Salomon, dans toute sa gloire, ne s'est pas habillé comme eux.

Plus le cœur se rapproche de la simplicité, plus il est capable d'aimer sans restriction et sans peur. Plus il aime sans peur, plus il peut faire preuve d'élégance dans chaque petit geste.

L'élégance n'est pas une question de goût. Chaque culture a une manière de voir la beauté, qui très souvent est complètement différente de la nôtre.

Mais dans toutes les tribus, chez tous les peuples, il y a des valeurs qui démontrent l'élégance : l'hospitalité, le respect, la délicatesse dans les gestes.

L'arrogance attire la haine et l'envie. L'élégance éveille le respect et l'Amour.

L'arrogance nous fait humilier notre semblable. L'élégance nous apprend à marcher dans la lumière.

L'arrogance rend les mots compliqués, parce qu'elle pense que l'intelligence est réservée à quelques élus. L'élégance transforme des pensées complexes en quelque chose que tout le monde peut comprendre.

Tout homme marche avec élégance et transmet la lumière autour de lui quand il parcourt le chemin qu'il a choisi.

Ses pas sont fermes, son regard est précis, son mouvement est beau. Et même dans les moments les plus difficiles, ses adversaires ne parviennent pas à distinguer de signes de faiblesse, parce que l'élégance le protège.

L'élégance est acceptée et admirée parce qu'elle ne fait aucun effort pour cela.

Seul l'Amour donne forme à ce dont auparavant on n'aurait même pas pu rêver.

Et seule l'élégance permet que cette forme puisse se manifester.

Et un homme qui se levait toujours de bonne heure pour mener ses troupeaux aux pâturages entourant la ville déclara :

« Le Grec a étudié pour dire de belles choses, tandis que nous, nous devons subvenir aux besoins de nos familles. »

Et il répondit :

De belles paroles sont dites par des poètes. Et un jour quelqu'un écrira :

« J'ai dormi et j'ai pensé que la vie n'était que Joie.
« Je me suis réveillé et j'ai découvert que la vie était Devoir.
« J'ai accompli mon Devoir et j'ai découvert que la vie était Joie. »

Le travail est la manifestation de l'Amour qui unit les êtres humains. Par ce moyen, nous découvrons que nous ne sommes pas capables de vivre sans l'autre et que l'autre aussi a besoin de nous.

Il y a deux types de travail.

Le premier est celui que l'on ne fait que par obligation et pour gagner son pain quotidien. Dans ce cas, les gens ne font que vendre leur temps, sans comprendre qu'ils ne pourront jamais le racheter.

Ils passent toute leur vie à rêver au jour où ils pourront enfin se reposer. Quand ce jour arrive, ils sont trop vieux pour jouir de tout ce que la vie peut offrir.

Ces personnes n'assument jamais la responsabilité de leurs actes. Elles disent : « Je n'ai pas le choix. »

*

Mais il y a le second type de travail.

Celui que les personnes acceptent aussi pour gagner leur pain quotidien, mais dans lequel elles essaient de remplir chaque minute avec dévouement et amour des autres.

Ce second travail, nous l'appelons Cadeau. Parce que nous pouvons avoir deux personnes qui cuisinent le même repas et se servent exactement des mêmes ingrédients ; mais l'une a mis de l'Amour dans ce qu'elle faisait, tandis que l'autre cherchait seulement à s'alimenter. Le résultat sera complètement différent, bien que l'on ne puisse pas voir l'Amour ni le mettre dans une balance.

La personne qui fait le Cadeau est toujours récompensée. Plus elle partage son affection, plus son affection se multiplie.

Quand l'Énergie Divine a mis l'Univers en mouvement, il a été donné à tous les astres et toutes les étoiles, toutes les mers et les forêts, toutes les vallées et les montagnes l'occasion de prendre part à la Création. Et il est arrivé la même chose à tous les hommes.

Certains ont dit : « Nous ne voulons pas. Nous ne pourrons pas corriger les erreurs et punir l'injustice. »

D'autres ont dit : « De la sueur de mon front, j'irriguerai le champ, et ce sera ma façon de louer le Créateur. »

Mais vint le démon, et il murmura de sa voix de miel : « Tu devras porter ce rocher jusqu'au sommet de la montagne chaque jour et, quand tu arriveras là-haut, il redescendra la pente. »

Et tous ceux qui ont cru le démon ont dit : « La vie n'a plus d'autre sens que la répétition de la même tâche. »

Et ceux qui n'ont pas cru le démon ont répondu : « Désormais, j'aimerai la pierre que je dois porter jusqu'au sommet de la montagne. Ainsi, chaque minute à côté d'elle sera une minute près de ce que j'aime. »

Le Cadeau est la prière sans paroles. Et, comme toute prière, il exige de la discipline. Mais la discipline n'est pas un esclavage, c'est un choix.

Inutile de dire : « Le sort a été injuste avec moi. Pendant que certains suivent le chemin de leur rêve, je suis là à faire mon travail et gagner ma pitance. »

Le sort n'est injuste avec personne. Nous sommes tous libres d'aimer ou de détester ce que nous faisons.

Quand nous l'aimons, nous trouvons dans notre activité quotidienne la même joie que ceux qui sont partis un jour à la poursuite de leur rêve.

Personne ne peut connaître l'importance et la grandeur de ce qu'il fait. En cela réside le mystère et la beauté du Cadeau : il est la mission qui nous a été confiée, et nous devons avoir confiance en lui.

L'agriculteur peut planter, mais il ne peut pas dire au soleil : « Brille plus fort ce matin. » Il ne peut pas dire aux nuages : « Faites pleuvoir cet après-midi. » Il doit faire le nécessaire, labourer le champ, mettre les semences et apprendre le don de la patience au moyen de la contemplation.

Il aura des moments de désespoir, quand il verra sa récolte perdue et pensera qu'il a travaillé pour rien. Celui qui est parti à la poursuite de ses rêves connaît aussi des moments où il regrette son choix, et n'a d'autre désir que de rentrer et trouver un travail qui lui permette de vivre.

Mais le lendemain, le cœur de chaque travailleur ou de chaque aventurier sera plus euphorique et plus confiant. L'un et l'autre verront les fruits de leur Cadeau – et ils s'en réjouiront.

Parce qu'ils chantent tous les deux la même chanson : la chanson de la joie dans la tâche qui leur a été confiée.

Le poète mourra de faim si le berger n'existe pas. Le berger mourra de tristesse s'il ne peut pas chanter les vers du poète.

À travers le Cadeau, tu permets que les autres puissent t'aimer.

Et tu apprends à aimer les autres à travers ce qu'ils t'offrent.

Et l'homme qui avait posé la question sur le travail insista :

« Et pourquoi certaines personnes réussissent-elles mieux que d'autres ? »

Et il répondit :

Le succès ne vient pas de la reconnaissance d'autrui. Il résulte de ce que tu as planté avec amour.

Quand arrive l'heure de la récolte, tu peux te dire : « J'ai réussi. »

Tu as obtenu que ton travail soit respecté, parce qu'il n'a pas été réalisé seulement pour survivre, mais pour prouver ton amour des autres.

Tu as eu beau ne pas prévoir les pièges du chemin, tu as réussi à terminer ce que tu avais commencé. Et quand l'enthousiasme a diminué à cause des difficultés, tu as eu recours à la discipline. Et quand la discipline a disparu sous l'effet de la fatigue, tu as profité de tes moments de repos pour réfléchir aux pas que tu devais faire à l'avenir.

Tu ne t'es pas laissé paralyser par les défaites qui se produisent dans la vie de tous ceux qui prennent un risque. Tu n'as pas pensé à ce que tu avais perdu quand tu as eu une idée qui n'a pas marché.

Tu ne t'es pas arrêté quand tu as eu des moments de gloire, parce que le but n'avait pas encore été atteint.

Quand tu as compris qu'il était nécessaire d'appeler à l'aide, tu ne t'es pas senti humilié. Et quand tu as su que quelqu'un avait besoin d'aide, tu as montré tout ce que tu avais appris, sans penser que tu révélais des secrets, ou que les autres se servaient de toi.

Parce que pour celui qui frappe, la porte s'ouvre.

Celui qui console sait qu'il sera consolé.

Même si tout cela n'arrive pas au moment où on l'attend, tôt ou tard il sera possible de voir les fruits de ce qui a été partagé avec générosité.

Le succès vient pour ceux qui ne perdent pas de temps à comparer ce qu'ils font avec ce que font les autres. Mais il entre chez celui qui dit tous les jours : « Je donnerai le meilleur de moi. »

Les gens qui ne cherchent que le succès ne le rencontrent jamais ou presque, parce qu'il n'est pas une fin en soi, mais une conséquence.

Une obsession n'aide en rien, elle brouille les chemins et finit par retirer le plaisir de vivre.

Tous ceux qui possèdent un tas d'or de la taille de la colline que nous voyons au sud de la ville ne sont pas riches. Riche est celui qui est en contact avec l'énergie de l'Amour à chaque seconde de son existence.

Il faut avoir un objectif en tête. Mais à mesure que l'on progresse, il ne coûte rien de s'arrêter de temps en temps et de jouir un peu du panorama environnant. À chaque mètre conquis, tu peux voir un peu plus loin et en profiter pour découvrir des choses que tu n'avais pas encore aperçues.

Dans ces moments-là, il est important de se demander : « Est-ce que je cherche à plaire aux autres et à faire ce qu'ils attendent de moi, ou suis-je réellement convaincu que mon travail est la manifestation de mon âme et de mon enthousiasme ? Est-ce que je veux trouver le succès à tout prix, ou être une personne qui a réussi parce que je parviens à remplir mes jours d'amour ? »

Voilà la manifestation du succès : enrichir la vie, et non gorger d'or tes coffres.

Parce qu'un homme peut dire : « J'emploierai mon argent pour semer, récolter, planter et remplir mon cellier du fruit de la récolte, pour que rien ne vienne à me manquer. » Mais l'Indésirable apparaît, et tous ses efforts auront été inutiles.

Que ceux qui ont des oreilles écoutent.

Ne cherche pas à couper le chemin, mais parcours-le de telle manière que chaque action rende plus solide le terrain et plus beau le paysage.

N'essaie pas de te rendre maître du Temps. Si tu récoltes trop tôt les fruits que tu as plantés, ils seront verts et ne pourront donner de plaisir à personne. Si, par peur ou insécurité, tu décides de reporter le moment de faire le Cadeau, les fruits seront pourris.

Alors, respecte le temps entre l'ensemencement et la récolte.

Et ensuite attends le miracle de la transformation.

Tant que le blé est encore au four, on ne peut pas l'appeler pain.

Tant que les mots sont retenus dans la gorge, on ne peut pas les appeler poème.

Tant que les fils ne sont pas unis par les mains de celui qui travaille, on ne peut pas les appeler tissu.

*

Quand arrivera le moment de montrer ton Cadeau aux autres, ils seront tous admiratifs et ils se diront : « Voilà un homme qui a réussi, parce que tout le monde désire les fruits de son travail. »

Personne ne demandera ce qu'il t'en a coûté pour les obtenir. Parce que celui qui a travaillé avec amour rend la beauté de ce qu'il a réalisé si intense qu'elle n'est même pas perceptible à vue d'œil. De même que l'acrobate vole dans l'espace sans montrer la moindre tension, le succès — quand il arrive — paraît la chose la plus naturelle du monde.

Cependant, si quelqu'un osait poser la question, la réponse serait : j'ai pensé renoncer, j'ai eu l'impression que Dieu ne m'écoutait plus, très souvent j'ai eu envie de changer de voie et, dans certaines circonstances, j'ai abandonné mon chemin. Mais malgré tout, je suis revenu et j'ai avancé parce que j'étais convaincu qu'il n'y avait pas d'autre manière de vivre ma vie.

J'ai appris quels étaient les ponts que je devais franchir, et ceux que je devais détruire à tout jamais.

*

Je suis le poète, l'agriculteur, l'artiste, le soldat, le prêtre, le commerçant, le vendeur, le professeur, le politicien, le savant et celui qui s'occupe seulement de la maison et des enfants.

Je vois qu'il y a beaucoup de gens plus célèbres que moi et, dans bien des cas, cette célébrité est méritée. Dans d'autres, elle n'est qu'une manifestation de vanité ou d'ambition, et elle ne résistera pas au temps.

Qu'est-ce que le succès ?

C'est pouvoir aller se coucher chaque soir l'âme en paix.

Et Almira, qui croyait encore qu'une armée d'anges et d'archanges allait descendre des cieux pour protéger la Ville sainte, demanda :

« Parle-nous du miracle. »

Et il répondit :

Qu'est-ce qu'un miracle ?

On peut le définir de diverses manières : phénomène qui va à l'encontre des lois de la nature, inter-
cession dans des moments de crise profonde,
guérisons et visions, rencontres impossibles, inter-
vention au moment d'affronter l'Indésirable.

Toutes ces définitions sont justes. Mais le miracle
est plus que cela : c'est ce qui brusquement remplit
nos cœurs d'amour. Nous éprouvons alors une profonde révérence pour la grâce que Dieu nous a
concédée.

Aussi, Seigneur, donne-nous aujourd'hui notre
miracle de ce jour.

Même si nous ne sommes pas capables de le
remarquer, parce que notre esprit semble concentré
sur des hauts faits et des conquêtes. Même si nous
sommes trop occupés par notre quotidien pour
savoir comment il a modifié notre chemin.

Quand nous serons seuls et déprimés, ouvrons les
yeux sur la vie qui nous entoure : la fleur qui pousse,

les étoiles qui se déplacent dans le ciel, le chant lointain de l'oiseau ou la voix toute proche de l'enfant.

Comprenons qu'il existe des choses tellement importantes qu'il faut les découvrir sans l'aide de personne. Et à ce moment-là ne nous sentons pas désemparés : Tu nous accompagnes et Tu es prêt à intervenir si notre pied s'approche dangereusement de l'abîme.

Allons de l'avant malgré la peur, et acceptons l'inexplicable malgré notre besoin de tout expliquer et de tout connaître.

Comprenons que la force de l'Amour réside dans ses contradictions. Et que l'Amour est préservé parce qu'il change, et non parce qu'il reste solide et sans défis.

Et chaque fois que nous verrons exalter l'humilité et humilier l'arrogance, puissions-nous y voir aussi le miracle.

Quand nos jambes seront fatiguées, marchons avec la force qui vit dans notre cœur. Quand notre cœur sera fatigué, avançons cependant avec la force de la Foi.

Voyons dans chaque grain de sable du désert la manifestation du miracle de la différence, et cela nous encouragera à nous accepter tels que nous sommes. Car, de même qu'il n'y a pas au monde deux grains de sable semblables, il n'y a pas non plus deux êtres humains qui pensent et agissent de la même manière.

Puissions-nous nous montrer humbles à l'heure de recevoir et joyeux au moment de donner.

Comprenons que la sagesse n'est pas dans les réponses que nous recevons, mais dans le mystère des questions qui enrichissent notre vie.

Ne restons jamais prisonniers des choses que nous estimons connaître – parce qu'en réalité nous savons peu du Destin. Mais que cela nous pousse à agir de manière impeccable, en utilisant quatre vertus qui doivent être préservées : l'audace, l'élégance, l'amour et l'amitié.

*

Seigneur, donne-nous aujourd'hui notre miracle de ce jour.

De même que plusieurs chemins mènent au sommet de la montagne, de nombreux chemins nous permettent d'atteindre notre objectif. Reconnaissons le seul qui mérite d'être parcouru : celui sur lequel l'Amour se manifeste.

Avant d'éveiller l'Amour chez les autres, réveillons l'Amour qui dort en nous. Ainsi seulement, nous pourrons attirer l'affection, l'enthousiasme, le respect.

Sachons distinguer les luttes qui sont les nôtres, les luttes dans lesquelles nous sommes entraînés contre notre volonté, et les luttes que nous ne pouvons pas éviter parce que le Destin les a mises sur notre chemin.

Que nos yeux s'ouvrent et que nous puissions constater que nous n'avons jamais vécu deux jours semblables. Chacun a apporté un miracle différent, qui nous a permis de continuer à respirer, à rêver et à nous promener sous le soleil.

Que nos oreilles s'ouvrent aussi pour écouter les mots justes qui sortent soudain de la bouche de nos semblables – bien que nous n'ayons sollicité aucun conseil et qu'aucun d'eux ne sache ce qui se passe dans notre âme à ce moment-là.

Et quand nous ouvrirons la bouche, puissions-nous ne pas parler seulement la langue des hommes, mais aussi la langue des anges, et dire : « Les miracles, ce ne sont pas des choses qui vont à l'encontre des lois de la nature ; nous pensons ainsi parce qu'en réalité nous ne connaissons pas les lois de la nature. »

Et au moment où nous y serons parvenus, baissons la tête avec respect en disant : « J'étais aveugle et j'ai réussi à voir. J'étais muet et j'ai réussi à parler. J'étais sourd et j'ai réussi à entendre. Parce que les merveilles de Dieu se sont opérées en moi, et tout ce que je jugeais perdu est revenu. »

*

Ainsi opèrent les miracles.

Ils déchirent les voiles et changent tout, mais ne nous laissent pas apercevoir ce qu'il y a derrière les voiles.

Ils nous font nous échapper sains et saufs de la vallée des ombres et de la mort, mais ne nous disent pas par quel chemin ils nous ont conduits jusqu'aux montagnes de joie et de lumière.

Ils ouvrent des portes qui étaient fermées par des cadenas impossibles à briser, mais ne se servent d'aucune clef.

Ils entourent les soleils de planètes pour qu'ils ne se sentent pas isolés dans l'Univers, et ils empêchent que les planètes ne s'en approchent trop pour qu'elles ne soient pas dévorées par les soleils.

Ils transforment le blé en pain par le travail, le raisin en vin par la patience et la mort en vie par la résurrection des rêves.

Aussi, Seigneur, donne-nous aujourd'hui notre miracle de ce jour.

Et pardonne-nous si nous ne savons pas toujours le reconnaître.

Et un homme qui entendait les chants guerriers monter de l'autre côté des murailles, et qui avait peur pour lui et pour sa famille, demanda :

« Parle-nous de l'anxiété. »

Et il répondit :

L'anxiété n'est pas un défaut.

Bien que nous ne puissions pas contrôler le temps de Dieu, le désir de recevoir le plus vite possible ce que l'on attend fait partie de la condition humaine.

Ou celui d'éloigner immédiatement la cause de la frayeur.

Il en est ainsi depuis notre enfance jusqu'au moment où nous devenons indifférents à la vie. Parce que, tant que nous serons intensément connectés au moment présent, nous attendrons toujours anxieusement quelqu'un ou quelque chose.

Comment dire à un cœur amoureux de se tranquilliser, de contempler les miracles de la Création en silence, libéré des tensions, des peurs et des questions sans réponse ?

L'anxiété fait partie de l'amour, et l'on ne doit pas l'en blâmer.

Comment dire à quelqu'un qui a investi sa vie et ses biens dans un rêve et ne voit pas les résultats de ne pas être inquiet ? Bien qu'il ne puisse accélérer la marche des saisons pour cueillir les fruits de ce qu'il a planté, l'agriculteur attend impatiemment l'arrivée de l'automne et de la récolte.

Comment demander à un guerrier de ne pas être anxieux avant un combat ?

Il s'est entraîné jusqu'à l'épuisement pour ce moment, il a donné le meilleur de lui-même, il s'estime préparé, mais il redoute que les résultats ne soient loin de tout l'effort qu'il a produit.

L'anxiété naît donc avec l'homme. Et comme nous ne pourrons jamais la dominer, il nous faudra apprendre à vivre avec — comme l'homme a appris à vivre avec les tempêtes.

*

En attendant, pour ceux qui ne parviennent pas à vivre avec elle, on peut prédire que l'existence est un cauchemar.

Ce dont ils devraient savoir gré — toutes les heures qui font une journée — se transforme en malédiction. Ils veulent que le temps passe plus vite, sans bien comprendre que cela les mène plus vite à la rencontre de l'Indésirable.

Et ce qui est pire : pour essayer d'éloigner l'anxiété, ils vont chercher des choses qui l'accroissent encore.

Tandis qu'elle attend le retour de son fils à la maison, la mère commence à imaginer le pire.

« Ma bien-aimée m'appartient et je lui appartiens. Quand elle est partie, je l'ai cherchée dans les rues de la ville et je ne l'ai pas trouvée. Et à chaque coin de rue où je passe, et chaque fois que j'interroge une personne qui ne me donne pas de nouvelles, je laisse l'anxiété normale de l'amour se transformer en désespoir. »

Pendant qu'il attend le fruit de son travail, le travailleur cherche à s'occuper à d'autres tâches, et chacune va lui apporter d'autres moments d'attente. Peu après, son anxiété a gagné beaucoup de gens, et il ne peut même plus regarder le ciel, ni les étoiles, ni les enfants qui jouent.

Et la mère, ou l'amant, ou le travailleur, cessent de vivre leur vie et se mettent simplement à attendre le pire, suivre les rumeurs, se plaindre que le jour ne se termine jamais. Ils deviennent agressifs avec leurs amis, leur famille, leurs domestiques. Ils se nourrissent mal, mangeant beaucoup ou ne pouvant rien avaler. Et le soir, ils posent la tête sur le traversin, mais ils ne parviennent pas à dormir.

C'est le moment où l'anxiété tisse un voile dans lequel on ne peut plus rien voir avec les yeux du corps, seulement avec les yeux de l'âme.

Et les yeux de l'âme voient trouble parce qu'ils ne se reposent pas.

À ce moment s'installe un des pires ennemis de l'être humain : l'obsession.

L'obsession arrive et dit :

« À partir d'aujourd'hui ton destin m'appartient. Je ferai en sorte que tu recherches des choses qui n'existent pas.

« Ta joie de vivre m'appartient aussi. Parce que ton cœur ne sera plus en paix, puisque je chasse l'enthousiasme et occupe sa place.

« Je laisserai la peur se répandre dans le monde, et tu seras toujours terrifié, sans savoir pourquoi. Tu n'as pas besoin de savoir – tu dois seulement rester terrifié, et ainsi alimenter plus encore la peur.

« Ton travail, qui auparavant était un Cadeau, j'en ai pris possession. Les autres diront que tu sers d'exemple, parce que tu fais des efforts qui dépassent la limite, et tu souriras en retour et remercieras pour le compliment.

« Mais je dirai dans ton cœur que ton travail m'appartient désormais et servira à t'éloigner de tout – de tes amis, de ton enfant, de toi-même.

« Travaille plus, pour ne pas penser. Travaille sans compter, pour cesser totalement de vivre.

« Ton amour, qui avant était la manifestation de l'Énergie Divine, m'appartient également. Et cette personne que tu aimes ne pourra pas s'éloigner un seul instant, parce que je suis dans ton âme et te dis : "Attention, elle pourrait s'en aller et ne pas revenir."

« Ton enfant, qui avant aurait dû suivre son propre chemin dans le monde, sera désormais à moi. Aussi, je ferai en sorte que tu l'entoures de soins inutiles, que tu tues son goût de l'aventure et du risque, que tu le fasses souffrir chaque fois qu'il se montre désagréable et te laisse avec un sentiment de culpabilité parce qu'il n'a pas correspondu à tout ce que tu attendais de lui. »

*

Par conséquent, bien que l'anxiété fasse partie de la vie, ne la laisse jamais contrôler tes mouvements.

Si elle s'approche trop, dis-lui : « Je ne me soucie pas du lendemain, parce que Dieu est déjà là, et il m'attend. »

Si elle tente de te convaincre que s'occuper de beaucoup de choses, c'est avoir une vie productive, dis-lui : « J'ai besoin de regarder les étoiles pour trouver l'inspiration et pouvoir bien faire mon travail. »

Si elle te menace avec le spectre de la faim, dis-lui : « L'homme ne vit pas que de pain, mais aussi de la parole qui vient des Cieux. »

Si elle te dit que ton amour ne reviendra peut-être pas, dis-lui : « Ma bien-aimée est à moi, et je suis à elle. En ce moment, elle fait paître les troupeaux entre les rivières, et j'entends son chant, même de loin. Quand elle reviendra près de moi, elle sera fatiguée et heureuse – et je lui donnerai à manger et je veillerai sur son sommeil. »

Si elle te dit que ton enfant ne respecte pas l'amour qui lui a été consacré, réponds : « L'excès de prudence détruit l'âme et le cœur, parce que vivre est un acte de courage. Et un acte de courage est toujours un acte d'amour. »

Ainsi tu tiendras l'anxiété à distance.

Elle ne disparaîtra jamais. Mais la grande sagesse de la vie, c'est de comprendre que nous pouvons être les maîtres de ces choses qui prétendaient nous réduire en esclavage.

Et un jeune homme demanda :

« Parle-nous de ce que l'avenir nous réserve. »

Et il répondit :

Nous savons tous ce qui nous attend dans l'avenir : l'Indésirable. Qui peut arriver à n'importe quelle heure, sans prévenir, et dire : « Allons, tu dois me suivre. »

Et malgré le peu d'envie que nous en avons, nous n'avons pas le choix. À ce moment-là, notre plus grande joie, ou notre plus grande tristesse, sera de regarder le passé.

Et de répondre à la question : « Ai-je assez aimé ? »

Aime. Je ne parle pas ici seulement de l'amour pour une autre personne. Aimer signifie être disponible pour les miracles, pour les victoires et les défaites, pour tout ce qui arrive durant chaque journée où il nous a été accordé de marcher sur la Terre.

Notre âme est gouvernée par quatre forces invisibles : l'amour, la mort, le pouvoir et le temps.

Il est nécessaire d'aimer, parce que nous sommes aimés par Dieu.

Il est nécessaire d'avoir conscience de l'Indésirable, pour bien comprendre la vie.

Il est nécessaire de lutter pour grandir, mais sans tomber dans le piège du pouvoir que nous obtenons ainsi, parce que nous savons qu'il ne vaut rien.

Enfin, il est nécessaire d'accepter que notre âme – bien qu'elle soit éternelle – est en ce moment prisonnière de la toile du temps, avec ses opportunités et ses limitations.

Notre rêve, le désir qui est dans notre âme, n'est pas sorti du néant. Quelqu'un l'y a mis. Et ce Quelqu'un, qui est pur amour et ne veut que notre bonheur, l'a fait seulement parce qu'il nous a donné, en même temps que le désir, les outils pour le réaliser.

En traversant une période difficile, rappelle-toi ceci : même si tu as perdu de grandes batailles, tu as survécu et tu es là.

C'est une victoire. Marque ta joie, pour fêter ton pouvoir d'aller de l'avant.

Répands généreusement ton amour dans les champs et les pâturages, dans les rues de la grande ville et dans les dunes du désert.

Montre que tu te soucies des pauvres, parce qu'ils sont là pour que tu puisses révéler la vertu de charité.

Et que tu te soucies également des riches, qui se méfient de tout et de tous, gardent leurs celliers bondés et leurs coffres bien remplis, mais ne parviennent pas malgré tout cela à repousser la solitude.

Ne perds jamais une occasion de prouver ton amour. Surtout à ceux qui te sont proches – parce que c'est avec eux que nous sommes le plus circonspects, craignant d'être blessés.

Aime. Tu seras le premier à en profiter – le monde autour de toi te récompensera, même si dans un premier temps tu te dis : « Ils ne comprennent pas mon amour. »

L'amour n'a pas besoin d'être compris. Il faut seulement le manifester.

Par conséquent, ce que te réserve l'avenir dépend entièrement de ta capacité d'aimer.

Et pour cela, tu dois avoir une confiance absolue et totale dans ce que tu fais. Ne laisse pas d'autres dire : « Ce chemin est meilleur » ou « Ce parcours est plus facile ».

Le plus grand don que Dieu nous ait fait est le pouvoir de nos décisions.

Nous entendons tous depuis l'enfance que ce que nous désirons vivre est impossible. À mesure que les années s'accumulent, nous accumulons aussi les sables des préjugés, des peurs, des culpabilités.

Libère-toi de cela. Pas demain, ni ce soir, mais tout de suite.

J'ai déjà dit ici : beaucoup d'entre nous pensent que nous blessons les personnes que nous aimons quand nous laissons tout derrière nous au nom de nos rêves.

Mais ceux qui nous veulent vraiment du bien désirent ardemment nous voir heureux – même s'ils ne comprennent pas encore ce que nous sommes en train de faire et même si, dans un premier temps, ils essaient de nous empêcher d'aller plus loin à coups de menaces, de promesses ou de larmes.

L'aventure des jours à venir doit être pleine de romantisme, car le monde en a besoin ; aussi, quand tu monteras sur ton cheval, sens le vent sur ton visage et réjouis-toi de la sensation de liberté.

Mais n'oublie pas que tu as un long voyage devant toi. Si tu te laisses trop aller au romantisme, tu risques de tomber. Si tu ne t'arrêtes pas pour que vous vous reposiez tous les deux, le cheval pourrait mourir de soif ou de fatigue.

Écoute le vent, mais n'oublie pas le cheval.

Et justement au moment où tout marchera bien et où ton rêve sera presque à portée de main, il faut être plus attentif que jamais. Parce que quand tu seras sur le point de réussir, tu vas ressentir une immense culpabilité.

Tu verras que tu t'apprêtes à atteindre des lieux où beaucoup ne sont pas parvenus à poser les pieds, et tu penseras que tu ne mérites pas ce que la vie est en train de t'offrir.

Tu oublieras tout ce que tu as surmonté, tout ce que tu as subi, tout ce à quoi tu as dû renoncer. Et à cause de la culpabilité, tu pourras détruire inconsciemment ce que tu as eu tant de mal à construire.

C'est le plus dangereux des obstacles, parce qu'il porte en lui une certaine aura de sainteté : le renoncement à la conquête.

Mais si l'homme comprend qu'il est digne de ce pour quoi il a tant lutté, alors il se rend compte qu'en réalité il n'y est pas arrivé seul. Et il doit respecter la Main qui l'a conduit.

Seul celui qui a su honorer chacun de ses pas comprend sa dignité.

Et quelqu'un dans l'assistance qui savait écrire et tâchait frénétiquement de noter chaque mot que prononçait le Copte, s'arrêta pour se reposer et constata qu'il était dans une sorte de transe. La place, les visages fatigués, les religieux qui écoutaient en silence – tout cela paraissait être une part d'un rêve.

Et, voulant se prouver à lui-même que ce qu'il était en train de vivre était réel, il demanda :

« Parle-nous de la loyauté. »

Et il répondit :

On peut comparer la loyauté à un magasin de vases de porcelaine très précieux, dont l'Amour nous aurait confié la clef.

Chacun de ces vases est beau parce qu'il est différent. De même que sont différents les uns des autres les hommes, les gouttes de pluie ou les rochers qui dorment dans les montagnes.

Parfois, à cause du temps ou d'un défaut inattendu, un vaisselier se fend et s'effondre. Et le propriétaire du magasin se dit : « J'ai investi mon temps et mon amour dans cette collection, mais les vases m'ont trahi et les voilà en pièces. »

L'homme vend son magasin et s'en va. Il devient solitaire et amer, pensant qu'il ne pourra plus jamais faire confiance à personne.

Il est vrai qu'il y a des vases qui se brisent – le pacte de loyauté a été détruit. Dans ce cas, mieux vaut balayer les débris et les jeter à la poubelle, parce que ce qui a été brisé ne sera jamais plus comme avant.

Mais d'autres fois, le vaisselier se fend à cause de phénomènes étrangers aux desseins humains : il peut s'agir d'un tremblement de terre, d'une invasion ennemie, de la négligence de quelqu'un qui est entré dans le magasin sans bien regarder partout.

Hommes et femmes s'accusent les uns les autres du désastre. Ils disent : « Quelqu'un aurait dû voir ce qui allait arriver. » Ou alors : « Si j'avais été responsable, ces problèmes auraient été évités. »

Rien n'est plus faux. Nous sommes tous prisonniers dans les sables du temps, et nous n'avons aucun contrôle sur ces événements.

*

Le temps passe, ce vaisselier qui s'est brisé est réparé.

D'autres vases qui luttaient pour trouver leur place dans le monde sont placés là. Le nouveau patron du magasin, comprenant que tout est passager, sourit et se dit : « La tragédie m'a offert une opportunité et je tâcherai de la mettre à profit. Je découvrirai des œuvres d'art dont je n'ai jamais imaginé l'existence. »

La beauté d'un magasin de vases de porcelaine réside dans le fait que chaque pièce est unique. Mais quand elles sont placées les unes à côté des autres, elles montrent l'harmonie et reflètent ensemble la sueur du potier et l'art du peintre.

Chaque œuvre d'art ne peut pas dire : « Je veux être quelque part en évidence et je sortirai de là. » Parce qu'au moment où elle tenterait de le faire, elle se transformerait en un monceau de pièces cassées, sans aucune valeur.

Et ainsi sont les vases, et ainsi sont les hommes, et ainsi sont les femmes.

Et ainsi sont les tribus, et ainsi sont les bateaux, et ainsi sont les arbres et les étoiles.

Quand nous comprendrons cela, nous pourrons nous asseoir à la fin de l'après-midi à côté de notre voisin, écouter avec respect ce qu'il a à dire et dire ce qu'il doit entendre. Et aucun de nous deux ne tentera d'imposer ses idées à l'autre.

Au-delà des montagnes qui séparent les tribus, au-delà de la distance qui sépare les corps, il existe la communauté des esprits. Nous en faisons partie, et là il n'y a pas de rues peuplées de mots inutiles, mais de grandes avenues qui rapprochent ce qui est éloigné, même si de temps en temps on doit les réparer à cause des dommages que le temps a causés.

Ainsi, l'amant qui revient ne sera jamais regardé avec méfiance, parce que la loyauté a accompagné ses pas.

Et l'homme qui hier était vu en ennemi parce que c'était la guerre, on pourra aujourd'hui le voir de nouveau en ami parce que la guerre est finie et que la vie continue.

Le fils qui est parti reviendra quand il sera temps – et il reviendra riche des expériences qu'il a acquises en chemin. Le père le recevra à bras ouverts et dira à ses serviteurs : « Apportez vite le meilleur vêtement et habillez-le ; mettez-lui un anneau au doigt et des sandales aux pieds ; parce que mon fils était mort, et il a revécu, il s'était perdu, et on l'a trouvé. »

Et un homme dont le front était marqué par le temps et le corps couvert de cicatrices qui racontaient les histoires des combats auxquels il avait pris part, demanda :

« Parle-nous des armes dont nous devons nous servir quand tout sera perdu. »

Et il répondit :

Quand il y a de la loyauté, les armes sont inutiles.

Parce que toutes les armes sont des instruments du mal, n'étant pas des instruments du sage.

La loyauté est fondée sur le respect, et le respect est fruit de l'Amour. L'Amour qui fait fuir les démons de l'imagination qui se méfient de tout et de tous, et qui rend aux yeux leur pureté.

Quand il désire fragiliser quelqu'un, un sage fait d'abord en sorte qu'il se croie fort. Ainsi, il provoquera plus fort que lui, tombera dans le piège et sera détruit.

Quand il désire rabaisser quelqu'un, un sage fait d'abord en sorte qu'il monte sur la montagne la plus élevée du monde et se juge très puissant. Ainsi, il croira qu'il peut aller encore plus haut et tombera dans l'abîme.

Quand il désire retirer à l'autre ce qu'il possède, un sage se contente de le couvrir de cadeaux. Ainsi, l'autre devra prendre soin de l'inutile et perdra tout le reste, parce qu'il sera occupé à garder ce qu'il estime posséder.

Quand il ne parvient pas à savoir ce que prépare l'adversaire, un sage feint une attaque. Toutes les personnes du monde sont toujours préparées pour se défendre, parce qu'elles vivent dans la paranoïa et la peur que les autres ne les aiment pas.

Et l'adversaire – si brillant soit-il – perd son assurance et réagit avec une violence exagérée à la provocation. Ce faisant, il montre toutes les armes qu'il détient, et le sage découvre quels sont ses points forts et ses points faibles.

Alors, sachant exactement à quel type de confrontation il doit s'attendre, le sage attaque ou recule.

De cette manière, ceux qui paraissent soumis et faibles vainquent et mettent en déroute les durs et les forts.

*

Par conséquent, les sages battent très souvent à plate couture les guerriers, tandis que les guerriers battent pareillement les sages. Pour éviter cela, le mieux est de chercher la paix et le repos qui existent dans les différences entre les êtres humains.

Celui qui a un jour été blessé doit se demander : « Cela vaut-il la peine de remplir mon cœur de haine et de traîner ce poids avec moi ? »

À ce moment-là, il recourt à l'une des qualités de l'Amour qui s'appelle Pardon. Il s'élève au-dessus des offenses proférées dans la chaleur de la bataille, que le temps se chargera bientôt d'effacer, comme le vent efface les pas dans les sables du désert.

Et quand le Pardon se manifeste, celui qui a offensé se sent humilié dans son erreur et devient loyal.

Soyons donc conscients des forces qui nous agitent.

Le vrai héros n'est pas celui qui est né pour les hauts faits, mais celui qui a su – au moyen de petites choses – construire un bouclier de loyauté autour de lui.

Ainsi, quand il sauve l'adversaire d'une mort certaine ou de la trahison, son geste ne sera jamais oublié.

Le vrai amant n'est pas celui qui dit : « Tu dois être à mes côtés et je dois m'occuper de toi, parce que nous sommes loyaux l'un envers l'autre. »

Mais celui qui comprend qu'on ne peut démontrer sa loyauté que lorsque la liberté est présente. Et sans peur de la trahison, il accepte et respecte le rêve de l'autre – confiant dans la force supérieure de l'Amour.

Le vrai ami n'est pas celui qui dit : « Tu m'as blessé aujourd'hui, et je suis triste. »

Il dit : « Tu m'as blessé aujourd'hui pour des raisons que j'ignore et que peut-être toi-même ignores, mais demain je sais que je pourrai compter sur ton aide, et je ne vais pas être triste pour cela. »

Et l'ami répond : « Tu es loyal, parce que tu as dit ce que tu ressentais. Rien de pire que ceux qui confondent loyauté et acceptation de toutes les erreurs. »

La plus destructrice de toutes les armes n'est pas la lance ou le canon – qui peuvent blesser le corps et détruire la muraille. La plus terrible de toutes les armes est la parole – qui ruine une vie sans laisser de traces de sang, et dont les blessures ne cicatrisent jamais.

Soyons donc maîtres de notre langue, pour ne pas être esclaves de nos paroles. Même si elles sont uti-lisées contre nous, n'entrons pas dans un combat qui n'aura jamais de vainqueur. Au moment où nous nous mettrons au niveau de l'adversaire indigne, nous lutterons dans les ténèbres, et le seul gagnant sera le Maître des Ténèbres.

*

La loyauté est une perle au milieu des grains de sable, et seuls ceux qui comprennent vraiment sa signification peuvent la voir.

Ainsi, le Semeur de la Discorde peut passer mille fois au même endroit, mais il ne distinguera jamais ce petit joyau qui maintient unis ceux qui doivent rester unis.

La loyauté ne peut jamais être imposée par la force, par la peur, par l'insécurité ou par l'intimidation.

Elle est un choix que seuls les esprits forts ont le courage de faire.

Et parce qu'elle est un choix, elle n'est jamais tolérante avec la trahison, mais elle est toujours généreuse avec les erreurs.

Et parce qu'elle est un choix, elle résiste au temps et aux conflits passagers.

Et un jeune homme dans l'assistance, voyant que le soleil était déjà presque caché derrière l'horizon et que bientôt la rencontre avec le Copte prendrait fin, demanda :

« Et qu'en est-il des ennemis ? »

Et il répondit :

Les vrais sages ne se lamentent ni pour les vivants ni pour les morts. Par conséquent, accepte le combat qui t'attend demain parce que nous sommes faits de l'Esprit Éternel, qui très souvent nous place devant des situations que nous devons affronter.

En ce moment, les questions inutiles doivent être oubliées, parce qu'elles ne font que troubler les réflexes du guerrier.

Un guerrier sur le champ de bataille accomplit son destin – et il doit s'y abandonner. Pauvres de ceux qui pensent qu'ils peuvent tuer ou mourir ! L'Énergie Divine ne peut pas être détruite, elle ne fait que changer de forme. Les sages de l'Antiquité disaient :

« Respecte cela comme un dessein supérieur, et va de l'avant. Ce ne sont pas les batailles terrestres qui définissent l'homme – car de même que le vent change de direction, la chance et la victoire soufflent aussi dans tous les sens. Le vaincu d'aujourd'hui est le vainqueur de demain, mais, pour que cela arrive, le combat doit être accepté avec honneur.

« De même que quelqu'un met des vêtements neufs en abandonnant les anciens, l'âme accepte de nouveaux corps matériels, abandonnant ceux qui sont vieux et inutiles. Sachant cela, tu ne dois pas te tourmenter à cause du corps. »

Voilà le combat que nous affronterons cette nuit ou demain matin. L'histoire se chargera de le raconter.

Mais comme nous arrivons au terme de notre rencontre, nous ne pouvons pas perdre de temps avec cela.

Je veux donc parler d'autres ennemis : ceux qui se trouvent à côté de nous.

Nous devrons tous affronter beaucoup d'adversaires dans la vie, mais le plus difficile à mettre en déroute sera celui que nous craignons.

Nous rencontrerons tous des rivaux dans tout ce que nous ferons, mais les plus dangereux seront ceux dont nous croyons qu'ils sont nos amis.

Nous souffrirons tous quand nous serons attaqués et blessés dans notre dignité, mais la plus grande douleur sera provoquée par ceux que nous considérions comme un exemple pour notre vie.

Personne ne peut éviter de croiser ceux qui vont le trahir et le calomnier. Mais tout le monde peut éloigner le mal avant qu'il montre son vrai visage – parce qu'un comportement excessivement gentil annonce déjà un poignard caché et prêt à servir.

Les hommes et les femmes loyaux ne sont pas gênés de se montrer tels qu'ils sont, parce que d'autres esprits loyaux comprennent leurs qualités et leurs défauts.

Mais de quelqu'un qui cherche à te plaire tout le temps, éloigne-toi.

Et attention à la douleur que tu peux te causer à toi-même, si tu laisses un cœur lâche et indigne faire partie de ton monde. Après que le mal est accompli, rien ne sert d'accuser quiconque : la porte a été ouverte par le maître de maison.

Plus le calomniateur est fragile, plus dangereuses sont ses actions. Ne soit pas vulnérable aux esprits faibles qui ne supportent pas de voir un esprit fort.

Si quelqu'un t'affronte pour des idées ou des idéaux, approche-toi et accepte la lutte – parce qu'il n'y a pas de moment dans la vie où le conflit ne soit présent, et il doit quelquefois se montrer à la lumière du jour.

Mais ne lutte pas pour prouver que tu as raison, ou pour imposer tes idées et tes idéaux. Accepte le combat pour garder ton esprit net et ta volonté infaillible. Quand la lutte finira, les deux côtés en sortiront vainqueurs, parce qu'ils auront testé leurs limites et leur savoir-faire.

Même si, dans un premier temps, l'un d'eux dit : « J'ai vaincu. »

Et l'autre, tout triste, pense : « J'ai été écrasé. »

Comme ils respectent tous les deux le courage et la détermination de l'autre, le temps viendra bientôt où ils marcheront de nouveau main dans la main, même si pour cela ils doivent attendre mille ans.

Cependant, si quelqu'un vient seulement te provoquer, nettoie la poussière de tes chaussures et passe ton chemin. Lutte seulement avec ceux qui le méritent

– et pas avec ceux qui usent de stratagèmes pour prolonger une guerre qui a déjà pris fin, comme cela arrive avec toutes les guerres.

La cruauté ne vient pas des guerriers qui se trouvent sur le champ de bataille et savent ce qu'ils y font, mais de ceux qui manipulent la victoire et la déroute selon leurs intérêts.

L'ennemi n'est pas celui qui te fait face, l'épée à la main. C'est celui qui est à côté de toi, le poignard dans le dos.

La plus importante des guerres n'est pas menée avec l'esprit noble et l'âme acceptant son destin. C'est celle qui est en cours au moment où nous parlons – dont le champ de bataille est l'Esprit, où s'affrontent le Bien et le Mal, le Courage et la Lâcheté, l'Amour et la Peur.

Ne cherche pas à payer la haine de haine, mais de justice.

Le monde n'est pas divisé entre ennemis et amis, mais entre faibles et forts.

Les forts sont généreux dans la victoire.

Les faibles se rassemblent et attaquent ceux qui ont perdu, sans savoir que la déroute est provisoire. Parmi les perdants, ils choisissent ceux qui semblent les plus vulnérables.

Si cela t'arrive, demande-toi si tu aimerais assumer le rôle de victime.

Si la réponse est positive, tu ne t'en libéreras jamais pour le restant de ta vie. Et tu seras une proie facile chaque fois que tu devras prendre une décision qui exige du courage. Ton regard de vaincu sera toujours plus fort que tes mots de vainqueur, et tous s'en apercevront.

Si la réponse est négative, résiste. Mieux vaut réagir maintenant, quand les blessures se soignent facilement, même si cela exige du temps et de la patience.

Tu passeras quelques nuits blanches à penser : « Je ne mérite pas ça. »

Ou à trouver que le monde est injuste, parce qu'il ne t'a pas donné l'accueil que tu attendais. Tu auras très souvent honte de l'humiliation que tu as subie devant tes autres compagnons, ton aimée, ton pays.

Mais si tu ne renonces pas, la meute d'hyènes s'éloignera et ira en chercher d'autres pour le rôle de victime. Ceux-là devront apprendre la même leçon par eux-mêmes, parce que personne ne pourra les aider.

*

Les ennemis ne sont donc pas les adversaires qui ont été placés là pour mettre ton courage à l'épreuve.

Ce sont les lâches, qui ont été placés là pour mettre à l'épreuve ta faiblesse.

La nuit était tombée complètement. Le Copte se tourna vers les religieux qui avaient tout vu et entendu et il demanda s'ils avaient quelque chose à dire. Les trois acquiescèrent de la tête.

Et le rabbin dit :

« Un grand religieux, quand il voyait que les juifs étaient maltraités, s'en allait dans la forêt, allumait un feu sacré et faisait une prière spéciale, demandant à Dieu de protéger son peuple.

« Et Dieu envoyait un miracle.

« Plus tard, son disciple se rendait au même endroit dans la forêt et disait : "Maître de l'Univers, je ne sais pas comment allumer le feu sacré, mais je sais encore la prière spéciale. Je t'en prie, écoute-moi."

« Le miracle se produisait.

« Mais une génération passa, et un autre rabbin, quand il voyait son peuple persécuté, allait dans la forêt, disant : "Je ne sais pas allumer le feu sacré, et je ne connais pas la prière spéciale, mais je me rappelle l'endroit. Aide-nous, Seigneur !"

« Et le Seigneur aidait.

« Cinquante ans plus tard, le rabbin Israël dans son fauteuil roulant parlait avec Dieu : "Je ne sais pas allumer le feu sacré, je ne connais pas l'oraison et je ne parviens même pas à trouver l'endroit dans la forêt. Je ne peux que raconter cette histoire, en espérant que Dieu m'écoute."

« Et encore une fois le miracle se produisait.

« Alors, allez et racontez l'histoire de cet après-midi. »

*

Et l'imam qui était chargé de la mosquée al-Aqsa, après avoir attendu respectueusement que son ami rabbin termine son discours, commença :

« Un homme frappa à la porte de son ami bédouin pour lui demander une faveur :

« "Je veux que tu me prêtes quatre mille dinars parce que je dois payer une dette. Est-ce possible ?"

« L'ami pria sa femme de rassembler tous leurs objets de valeur, mais ce n'était pas suffisant. Ils durent sortir réclamer de l'argent aux voisins, jusqu'à ce qu'ils obtiennent la somme suffisante.

« Quand l'homme s'en fut allé, la femme remarqua que son mari pleurait.

« "Pourquoi es-tu triste ? Maintenant que nous avons une dette auprès de nos voisins, tu as peur que nous ne soyons pas capables de la régler ?

« — Pas du tout. Je pleure parce que c'est un ami que j'aime beaucoup, et, malgré cela, je ne savais pas comment il allait. Je me suis souvenu de lui seulement quand il a dû frapper à ma porte pour m'emprunter de l'argent."

« Alors, allez et racontez à tous ce que vous avez entendu cet après-midi, pour que nous puissions aider notre frère avant qu'il en ait besoin. »

Et, dès que l'imam eut terminé son discours, le prêtre chrétien commença :

« Voilà que le semeur sortit semer. Et il arriva qu'une partie de la semence tomba sur le chemin, et les oiseaux descendirent du ciel et la mangèrent.

« Et une autre tomba sur les pierres où il n'y avait pas beaucoup de terre, et elle poussa aussitôt, parce que la terre était peu profonde. Mais le soleil se leva et la brûla ; et parce qu'elle n'avait pas de racine, elle se dessécha.

« Et une autre tomba au milieu des épines et, quand les épines grandirent, elles l'étouffèrent, et elle ne donna aucun fruit.

« Et une autre tomba dans la bonne terre et donna des fruits, qui nouèrent encore ; et un en produisit trente, un autre, soixante et un autre, cent.

« Alors, répandez vos semences dans tous les lieux où vous vous rendrez, car nous ne savons pas lesquelles vont s'épanouir pour éclairer la prochaine génération. »

La nuit recouvrait maintenant la ville de Jérusalem, et le Copte demanda à tous de rentrer chez eux et de noter tout ce qu'ils avaient entendu, et à ceux qui ne savaient pas écrire de tâcher de se rappeler ses mots. Mais avant que la foule ne s'en aille, il dit encore :

Ne pensez pas que je vous livre un traité de paix. En réalité, à partir de maintenant, nous allons faire circuler dans le monde une épée invisible, pour pouvoir lutter contre les démons de l'intolérance et de l'incompréhension. Tâchez de la porter aussi loin que vos jambes le supporteront. Et quand vos jambes n'en pourront plus, laissez derrière vous les mots ou le manuscrit, en choisissant toujours des personnes dignes de tenir cette épée.

Si un village ou une ville ne veut pas vous recevoir, n'insistez pas. Reprenez le chemin par où vous êtes venu et secouez la poussière du sol qui est collée sur vos chaussures. Parce que ceux-là seront condamnés à répéter les mêmes erreurs pendant des générations.

Mais bienheureux ceux qui entendront les mots ou liront le manuscrit, parce que le voile se déchirera à tout jamais, et il n'y aura plus rien de caché qui ne leur soit révélé.

Allez en paix.

Cet ouvrage a été imprimé
en mars 2013 par

FIRMIN-DIDOT

27650 Mesnil-sur-l'Estrée
N° d'édition : L.01ELHN000310.N001
N° d'impression : 116940
Dépôt légal : mai 2013

Imprimé en France

Composition et mise en page